그동안 법과 제도의 보호를 받지 못하고
모든 것을 감내해야만 했을 가상자산 이용자들에게
조그마한 도움이 될 수 있기를 바라며,

가상자산 이용자 보호 등에 관한 법률

(법과 친해지기 프로젝트 with 국회회의록)

변호사 김현수 저

목 차

드리는 말씀

법은 누구에게나 평등하게 적용되어야 합니다.

그러나 현실은 법을 아는 사람과 법을 모르는 사람에게 다르게 적용되고 있습니다.
법을 아는 사람은 법을 이용하여 자신의 책임에서 벗어나기도 하고, 법을 모르는 사람은 법을 이용하지 못해 억울한 책임을 지기도 합니다.

그러한 법에 대한 접근성의 차이를 줄이고 싶습니다.
이 책이 법에 대한 접근성의 차이, 그 격차를 해소하는 데에 기여될 수 있기를 기원합니다.

부족한 책이지만 급변하는 시대적 상황에서 모든 것을 감내해야만 했을 그 누군가에게 대한민국의 법과 제도는 여러분들과 함께하고 있음을 이 책을 통해 전하고자 합니다. 책의 끝부분에 핵심정리와 법 원문을 수록해두었으니 참고하시기 바랍니다.

2024 여름 구봉산 산기슭에서,
변호사 김현수 드림

"블록체인 기술을 기반으로 하는 가상자산은 이전에 없던 새로운 형태의 자산으로, 2030세대를 중심으로 투자의 대상으로 인식되면서 국내외 가상자산시장은 크게 성장하고 있음.

그런데 「자본시장과 금융투자업에 관한 법률」에 따른 금융투자상품의 경우 미공개중요정보 이용, 시세조종, 부정거래 등 불공정거래행위가 금지되나, 가상자산에 대해서는 제도적 장치가 부재하여 이와 관련한 이용자 피해가 발생하여도 처벌 및 피해구제 등 대응에 어려움이 있는 상황임.

실제로 테라루나 사태, 미국의 FTX 거래소 파산 사태 등 가상자산시장에서 발생한 일련의 사건들은 가상자산 이용자들에게 막대한 피해를 발생시켰으며 이는 가상자산시장에 대한 신뢰도 저하로 이어지기도 하였음.

한편, 가상자산에 대한 규율 및 제도화 움직임이 세계 각국에서 다양하게 진행되고 있는 가운데, 최근 유럽연합에서 가상자산과 관련된 법이 제정되기도 하였으나 가상자산시장과 가상자산산업 전반에 대해 국제적으로 합의된 기준이나 규율체계는 부재한 상황임.

따라서 우선적으로 가상자산 이용자 보호와 불공정거래행위 규제 중심의 입법이 필요한바 이 법을 제정하여 가상자산시장의 건전한 거래질서를 확보하고 이용자의 권익을 두텁게 보호하려는 것임.

(2023. 5. 대안의 제안이유 中)"

"○의장 김진표 다음은 가상자산 이용자 보호 등에 관한 법률안(대안)을 의결하도록 하겠습니다.

투표해 주시기 바랍니다.

(전자투표)

투표를 다 하셨습니까?

그러면 투표를 마치겠습니다.

투표 결과를 말씀드리겠습니다.

재석 268인 중 찬성 265인, 기권 3인으로서 가상자산 이용자 보호 등에 관한 법률안(대안)은 가결되었음을 선포합니다.

(2023. 6. 30. 제407회 제7차 본회의 中)"

제1장 총 칙

1. 목적
2. 정의
3. 국외행위에 대한 적용
4. 다른 법률관의 관계
5. 가상자산 관련 위원회의 설치

제 1 장 총 칙

제1장은 이 법의 목적과 정의, 국외행위에 대한 적용, 다른 법률과의 관계, 가상자산 관련 위원회의 설치 등에 관한 사항을 규정합니다.

1. 목적

> **제1조(목적)** 이 법은 가상자산 이용자 자산의 보호와 불공정거래행위 규제 등에 관한 사항을 정함으로써 가상자산 이용자의 권익을 보호하고 가상자산시장의 투명하고 건전한 거래질서를 확립하는 것을 목적으로 한다.

'가상자산 이용자 보호 등에 관한 법률(이하 '가상자산이용자보호법'이라 합니다)'은 그동안 막연히 여겨졌던 가상자산이 무엇인지, 가상자산 이용자를 어떻게 보호할 것인지, 어떠한 행위를 규제할 것인지에 대해 규정한 법입니다. 가상자산이 무엇이냐는 질문에 보통 '뭐, 비트코인 같은 것 아냐?'라고 답변할 것입니다. 가상자산은 암호화폐, 가상화폐 등으로 불리기도 하는데, 형태가 없는 화폐라는 점에서 여전히 명확하게 다가오지 않는 것이 사실입니다. 특히, 지금 이 순간에도 수없이 많은 가상화폐가 발행되고, 거래소에 상장되면서, 또 사라지고 있습니다. 이렇게 급변하는 시대적 상황에서, 가상자산이용자보호법은 법의 테두리 안에 가상자산의 생태계를 포섭하려는 첫 발걸음이라 하겠습니다.

이와 관련해서 2020. 6. 16.경부터 2023. 4. 24.경까지 19건의 법률안이 제출되었습니다. 이들을 통합·조정하여 위원회 대안을 제안하였고, 이에 가상자산이용자보호법은 2023. 6. 30.경 국회의 문턱을 넘어 2024. 7. 1.경 시행을 앞두고 있습니다.

이 법의 목적에서도 알 수 있듯이, 가상자산이용자보호법은 단순히 가상자산을 법의 테두리에 포섭하려는 단순한 조치에 불과한 것이 아니라 가상자산 이용자의 권익을 보호하고 가상자산시장의 투명하고 건전한 거래질서 확립이 최종 목적입니다. 가상자산이용자보호법의 체계 역시 가상자산이 무엇인지 정의하면서 이용자 자산의 보호를 중점으로, 불공정거래를 규제하고 감독 및 처분, 벌칙 순으로 정하고 있습니다.

"〇수석전문위원 고상근 먼저 법률 목적 관련해서 법률의 목적에 '국민 경제 발전에 이바지'를 포함할지 여부에 대해서 논의할 필요가 있습니다. 금융위원회 입장 들으시고 논의를 해 주시면 되겠습니다.

〇소위원장 김종민 항목별로 할까요?

〇수석전문위원 고상근 예, 그러셔야 할 것 같습니다.

〇소위원장 김종민 그렇게 합시다.

〇금융위원회부위원장 김소영 입법정책적 판단이라는 점에서 해당 문구에 포함·미포함 모두에 대해서 수용 가능한 상황입니다.

〇소위원장 김종민 위원님들 의견 얘기해 주세요.

○**이용우 위원**   제가 의견 제시를 했는데요. 이게 보통 은행업법이나 보험업법 같은 경우나 업법을 이야기할 때는 '국민경제 발전'이나 이런 구절이 들어갑니다. 그런데 금융회사 지배구조법이나 이런 통제 관련 법에서는 이 구절들이 빠지는 경우가 대부분입니다.

그런데 우리가 가장자산업법을 이야기를 하면서 업법 전체를 이야기하지 않고 2단계로 나누어서 규제와 불공정거래를 했기 때문에 굳이 이 구절이 들어갈 필요는 없다 이렇게 제가 주장을 한건데요. 이것은 위원님들 판단에 따라서 넣어도 좋고 안 넣어도 좋다고 생각합니다.

○**윤한홍 위원**   저는 이용우 위원님 의견에 동의를 합니다.

이게 불공정거래 방지라든지 피해자 구제에 초점이 있는 거지 이런 거시적인 표현은 좀 적절하지 않은 것 아닌가. 나는 이용우 위원님 의견에 동의합니다.

○**김성주 위원**   저도 포함하지 않는 것에 동의합니다.

○**수석전문위원 고상근**   그러면 구체적인 조문은 자료 하단 우측에 있는 것으로 하겠습니다. 그래서 이용자 권익 보호와 거래질서 확립을 목적으로 하는 것으로 하겠습니다.

(2023. 4. 25. 제405회 정무위원회 제1차 법안심사제1소위원회 中)"

2. 정의

제2조(정의) 이 법에서 사용하는 용어의 뜻은 다음과 같다.

1. "가상자산"이란 경제적 가치를 지닌 것으로서 전자적으로 거래 또는 이전될 수 있는 전자적 증표(그에 관한 일체의 권리를 포함한다)를 말한다. 다만, 다음 각 목의 어느 하나에 해당하는 것은 제외한다.

    가. 화폐·재화·용역 등으로 교환될 수 없는 전자적 증표 또는 그 증표에 관한 정보로서 발행인이 사용처와 그 용도를 제한한 것

    나. 「게임산업진흥에 관한 법률」 제32조제1항제7호에 따른 게임물의 이용을 통하여 획득한 유·무형의 결과물

    다. 「전자금융거래법」 제2조제14호에 따른 선불전자지급수단 및 같은 조 제15호에 따른 전자화폐

    라. 「주식·사채 등의 전자등록에 관한 법률」 제2조제4호에 따른 전자등록주식등

    마. 「전자어음의 발행 및 유통에 관한 법률」 제2조제2호에 따른 전자어음

    바. 「상법」 제862조에 따른 전자선하증권

    사. 「한국은행법」에 따른 한국은행(이하 "한국은행"이라 한다)이 발행하는 전자적 형태의 화폐 및 그와 관련된 서비스

    아. 거래의 형태와 특성을 고려하여 대통령령으로 정하는 것

2. "가상자산사업자"란 가상자산과 관련하여 다음 각 목의 어느 하나에 해당하는 행위를 영업으로 하는 자를 말한다.

    가. 가상자산을 매도·매수(이하 "매매"라 한다)하는 행위

    나. 가상자산을 다른 가상자산과 교환하는 행위

    다. 가상자산을 이전하는 행위 중 대통령령으로 정하는 행위

> 라. 가상자산을 보관 또는 관리하는 행위
> 마. 가목 및 나목의 행위를 중개 · 알선하거나 대행하는 행위
> 3. "이용자"란 가상자산사업자를 통하여 가상자산을 매매, 교환, 이전 또는 보관 · 관리하는 자를 말한다.
> 4. "가상자산시장"이란 가상자산의 매매 또는 가상자산 간 교환을 할 수 있는 시장을 말한다.

제2조에서는 가상자산, 이용자, 가상자산시장을 각 정의하고 있습니다. 가상자산이란, i) 경제적 가치를 지닌 것으로서, ii) 전자적으로 거래 또는 이전될 수 있는, iii) 전자적 증표 및 그에 관한 일체의 권리를 말합니다. 다만, 가. ~ 아.목에 해당하는 것은 제외됩니다. 이와 관련해서는 기존 「특정 금융거래정보의 보고 및 이용 등에 관한 법률」에 따른 가상자산의 정의를 참고하되, 한국은행이 발행하는 전자적 화폐 및 그와 관련된 서비스는 가상자산의 범위에서 제외하고, 그 밖에 가상자산사업자·이용자·가상자산시장을 정의하였습니다.

> **특정 금융거래정보의 보고 및 이용 등에 관한 법률**
>
> **제2조(정의)** 이 법에서 사용하는 용어의 뜻은 다음과 같다.
> 1. "금융회사등"이란 다음 각 목의 자를 말한다.
>   하. 가상자산과 관련하여 다음 1)부터 6)까지의 어느 하나에 해당하는 행위를 영업으로 하는 자(이하 "가상자산사업자"라 한다)
>   1) 가상자산을 매도, 매수하는 행위

2) 가상자산을 다른 가상자산과 교환하는 행위

　　3) 가상자산을 이전하는 행위 중 대통령령으로 정하는 행위

　　4) 가상자산을 보관 또는 관리하는 행위

　　5) 1) 및 2)의 행위를 중개, 알선하거나 대행하는 행위

　　6) 그 밖에 가상자산과 관련하여 자금세탁행위와 공중협박
　　　자금조달행위에 이용될 가능성이 높은 것으로서 대통령
　　　령으로 정하는 행위

2. "금융거래등"이란 다음 각 목의 것을 말한다.

　라. 가상자산사업자가 수행하는 제1호하목1)부터 6)까지의
　　어느 하나에 해당하는 것(이하 "가상자산거래"라 한다)

3. "가상자산"이란 경제적 가치를 지닌 것으로서 전자적으로
　거래 또는 이전될 수 있는 전자적 증표(그에 관한 일체의 권
　리를 포함한다)를 말한다. 다만, 다음 각 목의 어느 하나에
　해당하는 것은 제외한다.

　가. 화폐ㆍ재화ㆍ용역 등으로 교환될 수 없는 전자적 증표
　　또는 그 증표에 관한 정보로서 발행인이 사용처와 그 용
　　도를 제한한 것

　나.「게임산업진흥에 관한 법률」제32조제1항제7호에 따른
　　게임물의 이용을 통하여 획득한 유ㆍ무형의 결과물

　다.「전자금융거래법」제2조제14호에 따른 선불전자지급수단
　　및 같은 조 제15호에 따른 전자화폐

　라.「주식ㆍ사채 등의 전자등록에 관한 법률」제2조제4호에
　　따른 전자등록주식등

　마.「전자어음의 발행 및 유통에 관한 법률」제2조제2호에
　　따른 전자어음

　바.「상법」제862조에 따른 전자선하증권

　사. 거래의 형태와 특성을 고려하여 대통령령으로 정하는 것

가상자산과 관련하여서 살펴보겠습니다.

먼저, 가.목은 화폐·재화·용역 등으로 교환될 수 없는 전자적 증표 또는 그 증표에 관한 정보로서 발행인이 사용처와 그 용도를 제한한 것인데, 이는 경제적 가치를 지니지 않았다거나 거래 또는 이전될 수 없는 것을 의미하므로 제2조 제1호의 가상자산의 정의와 충돌하기 때문에 제외된다고 볼 수 있습니다.

나.목은 「게임산업진흥에 관한 법률」제32조 제1항 제7호에 따른 게임물의 이용을 획득한 유·무형의 결과물(점수, 경품, 게임 내에서 사용되는 가상의 화폐로서 대통령령으로 정하는 게임머니 및 대통령령으로 정하는 이와 유사한 것을 말한다[1]))인데, 게임머니나 게

---

1) 게임산업진흥에 관한 법률 시행령
제18조의3(게임머니 등) 법 제32조제1항제7호에서 "대통령령이 정하는 게임머니 및 대통령령이 정하는 이와 유사한 것"이란 다음 각 호의 어느 하나에 해당하는 것을 말한다. <개정 2012. 6. 19.>
1. 게임물을 이용할 때 베팅 또는 배당의 수단이 되거나 우연적인 방법으로 획득된 게임머니
2. 제1호에서 정하는 게임머니의 대체 교환 대상이 된 게임머니 또는 게임아이템(게임의 진행을 위하여 게임 내에서 사용되는 도구를 말한다. 이하 같다) 등의 데이터
3. 다음 각 목의 어느 하나에 해당하는 게임머니 또는 게임아이템 등의 데이터
   가. 게임제작업자의 컴퓨터프로그램을 복제, 개작, 해킹 등을 하여 생산·획득한 게임머니 또는 게임아이템 등의 데이터
   나. 법 제32조제1항제8호에 따른 컴퓨터프로그램이나 기기 또는 장치를 이용하여 생산·획득한 게임머니 또는 게임아이템 등의 데이터
   다. 다른 사람의 개인정보로 게임물을 이용하여 생산·획득한 게임머니 또는 게임아이템 등의 데이터
   라. 게임물을 이용하여 업으로 게임머니 또는 게임아이템 등을 생산·획득하는 등 게임물의 비정상적인 이용을 통하여 생산·획득한 게임머니 또는 게임아이템 등의 데이터

임아이템, 관련 데이터 등을 의미합니다. 가상의 것이라고 해도 이는 자산으로서 볼 수 없다는 것이기 때문입니다. 게임을 좋아하시는 분들은 자신의 시간과 노력이 투여되었으므로 소유권을 주장하실 수 있습니다만, 게임머니나 게임아이템은 데이터 조각에 불과하고, 민법상 물건의 정의에도 포함되지 않고[2], 게임사 약관도 한번 보시면 같은 맥락으로 규정되어 있습니다. 무형의 결과물은 게임머니나 게임아이템이겠지만, 유형의 결과물은 무엇일지 의문이 들 수도 있겠습니다. '베팅칩'이 유형의 결과물의 예시라고 할 수 있습니다.

다.목은 「전자금융거래법」상 선불전자지급수단 및 전자화폐입니다[3]. 선불전자지급수단과 전자화폐는 모두 이전 가능한 금전적 가

---

2) 민법 제98조(물건의 정의) 본법에서 물건이라 함은 유체물 및 전기 기타 관리할 수 있는 자연력을 말한다.
3) 전자금융거래법 제2조(정의) 이 법에서 사용하는 용어의 정의는 다음과 같다.
14. "선불전자지급수단"이라 함은 이전 가능한 금전적 가치가 전자적 방법으로 저장되어 발행된 증표 또는 그 증표에 관한 정보로서 다음 각 목의 요건을 모두 갖춘 것을 말한다. 다만, 전자화폐를 제외한다.
가. 발행인(대통령령이 정하는 특수관계인을 포함한다) 외의 제3자로부터 재화 또는 용역을 구입하고 그 대가를 지급하는데 사용될 것
나. 구입할 수 있는 재화 또는 용역의 범위가 2개 업종(「통계법」 제22조 제1항의 규정에 따라 통계청장이 고시하는 한국표준산업분류의 중분류상의 업종을 말한다. 이하 이 조에서 같다)이상일 것
15. "전자화폐"라 함은 이전 가능한 금전적 가치가 전자적 방법으로 저장되어 발행된 증표 또는 그 증표에 관한 정보로서 다음 각 목의 요건을 모두 갖춘 것을 말한다.
가. 대통령령이 정하는 기준 이상의 지역 및 가맹점에서 이용될 것
나. 제14호 가목의 요건을 충족할 것
다. 구입할 수 있는 재화 또는 용역의 범위가 5개 이상으로서 대통령령이 정하는 업종 수 이상일 것

치가 전자적 방법으로 저장되어 발행된 증표 또는 그 증표에 관한 정보를 뜻합니다. 다만, 선불전자지급수단은 전자화폐를 제외한 것을 의미하는데, 현금을 대체하는 전자적 결제수단이라고 생각하시면 됩니다. 예시로는 토스머니, 카카오페이머니 등이 있습니다. 전자화폐는 IC카드에 전자신호의 돈을 저장해 두는 방식이 대표적인데, 충전식 교통카드 등이 그 예시입니다.

라.목은 「주식·사채 등의 전자등록에 관한 법률」상 전자등록주식 등입니다4). 이는 전자등록계좌부에 전자등록된 주식등을 의미합니다. 주식등에는 같은 법 제2조 제1호에서 주식, 사채, 국채, 지방채 등으로 규정하고 있으며5), 전자등록은 주식등에 관한 권리 정보를

라. 현금 또는 예금과 동일한 가치로 교환되어 발행될 것
마. 발행자에 의하여 현금 또는 예금으로 교환이 보장될 것
4) 주식·사채 등의 전자등록에 관한 법률 제2조(정의) 4. "전자등록주식 등"이란 전자등록계좌부에 전자등록된 주식등을 말한다.
5) 주식·사채 등의 전자등록에 관한 법률 제2조(정의) 1. "주식등"이란 다음 각 목의 어느 하나에 해당하는 것을 말한다.
가. 주식
나. 사채(「신탁법」에 따른 신탁사채 및 「자본시장과 금융투자업에 관한 법률」에 따른 조건부자본증권을 포함한다)
다. 국채
라. 지방채
마. 법률에 따라 직접 설립된 법인이 발행하는 채무증권에 표시되어야 할 권리
바. 신주인수권증서 또는 신주인수권증권에 표시되어야 할 권리
사. 「신탁법」에 따른 수익자가 취득하는 수익권(受益權)
아. 「자본시장과 금융투자업에 관한 법률」에 따른 투자신탁의 수익권
자. 「이중상환청구권부 채권 발행에 관한 법률」에 따른 이중상환청구권부 채권
차. 「한국주택금융공사법」에 따른 주택저당증권 또는 학자금대출증권에 표시되어야 할 권리
카. 「자산유동화에 관한 법률」에 따른 유동화증권에 표시될 수 있거나 표

전자등록계좌부에 전자적 방식으로 기재하는 것을 말합니다[6]. 결국, 주식을 전자등록해둔 것에 불과하므로, 이는 가상자산에 포함되지 않습니다.

마.목은 「전자어음의 발행 및 유통에 관한 법률」에서 정하는 전자어음으로, 이는 전자문서로 작성되고 전자어음관리기관에 등록된 약속어음을 말합니다[7]. 전자어음 역시 라.목의 전자등록주식등과 마찬가지로, 전자어음이 전자어음관리기관에 등록된 것에 불과합니다.

    시되어야 할 권리

타. 「자본시장과 금융투자업에 관한 법률」에 따른 파생결합증권에 표시될 수 있거나 표시되어야 할 권리로서 대통령령으로 정하는 권리

파. 「자본시장과 금융투자업에 관한 법률」에 따른 증권예탁증권에 표시될 수 있거나 표시되어야 할 권리로서 대통령령으로 정하는 권리

하. 외국법인등(「자본시장과 금융투자업에 관한 법률」 제9조제16항에 따른 외국법인등을 말한다. 이하 같다)이 국내에서 발행하는 증권(證券) 또는 증서(證書)에 표시될 수 있거나 표시되어야 할 권리로서 가목부터 타목까지의 어느 하나에 해당하는 권리

거. 가목부터 하목까지의 규정에 따른 권리와 비슷한 권리로서 그 권리의 발생·변경·소멸이 전자등록계좌부에 전자등록되는 데에 적합한 것으로서 대통령령으로 정하는 권리

6) 주식·사채 등의 전자등록에 관한 법률 제2조(정의) 2. "전자등록"이란 주식등의 종류, 종목, 금액, 권리자 및 권리 내용 등 주식등에 관한 권리의 발생·변경·소멸에 관한 정보를 전자등록계좌부에 전자적 방식으로 기재하는 것을 말한다

3. "전자등록계좌부"란 주식등에 관한 권리의 발생·변경·소멸에 대한 정보를 전자적 방식으로 편성한 장부로서 다음 각 목의 장부를 말한다.

가. 제22조제2항에 따라 작성되는 고객계좌부(이하 "고객계좌부"라 한다)

나. 제23조제2항에 따라 작성되는 계좌관리기관등 자기계좌부(自己計座簿)(이하 "계좌관리기관등 자기계좌부"라 한다)

7) 전자어음의 발행 및 유통에 관한 법률 제2조(정의) 2. "전자어음"이란 전자문서로 작성되고 제5조제1항에 따라 전자어음관리기관에 등록된 약속어음을 말한다.

바.목은 「상법」상 전자선하증권으로, 선하증권을 전자적으로 발행한 것입니다[8]. 선하증권이란 운송계약에서 운송화물의 수령 또는 선적을 인증하고, 그 물품의 인도청구권을 문서화한 것입니다. 해상운송의 경우가 일반적인데, 수출자가 해상운송을 의뢰하면서 선하증권을 발부받고, 이를 바이어에게 전해줍니다. 이후 운송물이 도착하면, 바이어가 선하증권을 제시하면서 해당 운송물을 수령하는 것이지요. 인도청구권을 문서화하여 이를 전자등록해둔 것이니, 가상자산으로 보호할 대상이 아닌 셈입니다.

사.목은 「한국은행법」에 따라 한국은행이 발행하는 전자적 형태의 화폐 및 그와 관련된 서비스로, 한국은행이 발행하는 것은 법정화폐인 셈이고, 이와 관련된 금융기관의 예금, 지급, 대출, 외국환업무, 지급결제 업무 등은 법정화폐를 기반으로 운영되는 서비스입니다. 이러한 화폐 및 서비스를 CBDC(중앙은행 디지털화폐, Central Bank Digital Currency)라고 하는데, 비트코인 등 민간 가상화폐와 달리 각국 중앙은행이 발행한 디지털화폐입니다. 법정화폐가 전자적인 형태로 변경되었다고 하여 가상자산으로 보지 않고, 여전히 법정화폐의 지위를 유지합니다. 가상자산이용자보호법은 법의 테두리에 보호되지 않은 가상자산을 보호하는 것이 그 입법 취지인 셈이므로, 한국은행이 발행하는 전자적 형태의 화폐 및 그와 관련된 서비스는

---

8) 상법 제862조(전자선하증권) ①운송인은 제852조 또는 제855조의 선하증권을 발행하는 대신에 송하인 또는 용선자의 동의를 받아 법무부장관이 지정하는 등록기관에 등록을 하는 방식으로 전자선하증권을 발행할 수 있다. 이 경우 전자선하증권은 제852조 및 제855조의 선하증권과 동일한 법적 효력을 갖는다.

가상자산의 정의에 제외되는 것입니다.

이렇게 쉽게 이해하고 넘어갈 수도 있으나, 실제 입법 과정에서는 많은 논의가 있었습니다. 이에 대해서는 금융위원회, 한국은행, 법제처, 금감원 모두 의견을 보내기도 했습니다.

"○수석전문위원 고상근 가상자산 정의와 관련해서 정의에 중앙은행 디지털화폐 CBDC와 관련된 서비스를 명시적으로 제외할지 여부에 대해서 문제 제기가 있었습니다.

관련해서 금융위·한국은행 의견이 있고요. 법제처에서는 좀 신중할 필요가 있다는 입장을 보내왔고, 금감원에서는 굳이 제외할 필요성이 없다는 그런 의견을 보내 왔습니다. 금융위원회하고 한국은행 의견 들으시겠습니다.

○소위원장 김종민 의견 얘기해주세요.

○금융위원회부위원장 김소영 국제적으로 CBDC와 가상자산을 구분하고 있고 CBDC가 가상자산 관련 법률의 규율 대상이 아니라는 데는 이견이 없습니다. 다만 정의가 이미 다르기 때문에 굳이 포함이 될 필요가 있나 하는 측면과 또 CBDC 자체가 아직 도입이 안 된 상황입니다. 그래서 도입이 안 돼 있고 도입하겠다는 것도 명확히 발표가 안 된 상황에서 당장 법안에 넣는 게 적절한지 이슈가 있을 것 같습니다.

향후에 CBDC가 확정이 되면 한국은행법에 추가하거나 2단계에 명시적으로 제외하는 방법이 있다고 생각합니다.

○한국은행부총재보 이종렬 한국은행 부총재보 이종렬입니다.

저희 한국은행에서는 사실 여기 지금 저희가 서면으로 의견드린 대로 명시적으로 제외할 필요가 있다고 생각을 하고 있고요. 그래야지 불확실성이 해소된다라는 생각을 하고 있습니다.

하나 더 말씀드리고 싶은 게 지금 도입 여부는 결정되지 않았지만 저희가 여러 가지 연구 실험을 하고 있습니다. 작년에 가상환경에서 모의실험도 했지만 작년 하반기에는 금융기관과 연계실험을 했습니다.

앞으로 저희가 지금 생각하고 있는 게 실제 환경에서도 구현하는 그런 프로젝트를 구상하고 있는데 앞으로 만약에 여기 가상자산법에서 CBDC가 제외되지 않는다면 그런 실험을 하는 데 있어가지고 좀 어려움이 있지 않나 이런 생각을 갖고 있습니다. 그래서 저희는 꼭 이번 법안에, 가상자산에서 CBDC가 제외되는 것으로 됐으면 좋겠다라는 의견을 드립니다.

이상입니다.

○유의동 위원 제가 얘기해도 되는 거지요?

○소위원장 김종민 예.

○유의동 위원 금융위원회하고 한국은행 의견에 동의합니다. 지금 CBDC가 도입이 된 이후에 고민을 해도 그리고 체계 정합성이나 그걸 그때 따져도 늦지 않다. 지금은 우리가 일어나지 않은 상황을 미리 예단해서 CBDC가 어떤 형태로 등장할지 모르기 때문에 미리 이렇게 규제하는 것은 맞지 않다. 그래서 한국은행 입장에 동의합니다.

○소위원장 김종민 위원님들 의견 얘기해 주세요.

○유의동 위원 명시적으로 일차적으로 제외하자는 거잖아요.

○소위원장 김종민 명시적으로 제외하는 거예요.

○유의동 위원 그런데 그게 나중에 문제가 생기면, 그 다음에 개정 요구가 있거나 사안이 있으면, 소요가 있으면 그때 후속을 시켜도 되는거니까.

○소위원장 김종민 예, 그때 포함시키면 되는거니까.

(중략)

○소위원장 김종민 하여간 박용진 위원은 이 조항을 집어넣지 않아도 된다는 입장이고, 이용우 위원님은 명시 배제 조항을 집어넣자는 의견이고, 유의동 위원님은 집어넣자는 의견이고.

○유의동 위원 예. 그래서 한국은행에, 지금 박용진 위원님 주장도 일리가 있는데 그랬을 때 생길 수 있는 혼선 오해 이런 사례가 있다는 거잖아요. 그러니까 그 사례가 뭔지를 저희가 들으면 훨씬 더 이 개념을 정확하게 이해하는 데 도움이 될 것 같은데요.

○한국은행부총재보 이종렬 지금 우리가 작년 하반기 때 은행들하고 연계 실험을 하기는 했는데요. 앞으로 실제 환경에서 내년 정도 지금 생각을 하고 있습니다. 실제 환경에서 테스트하는 그런 실험을 할 텐데 거기에 들어오는 사업자들이 과연 자기가 CBDC 사업을 하는데 이게 가상자산업법의 규제를 받는 내용인지 아닌지 이런 문제가 발생할 소지가 있다는 얘기지요. 그래서 그런 것을 아예 여지를 없애 주기 위해서는 명시적으로 제외한다는 것을 이 가상자산법에 좀 반영시켰으면 좋겠다는 그런 의미입니다.

○소위원장 김종민 윤한홍 위원님.

○윤한홍 위원 질문을 좀 해도 될까요? 여기 자료를 보면 한국은행 의견에는, 중간 내용을 보면 특금법에서는 가상자산을 전자적 증표로 정의하고 있어 CBDC도 이에 포함될 수 잇다 이렇게 의견을 해 놨거든요. 한국은행은 그렇게 해 놨지요?

그런데 금감원 의견을 보면 CBDC가 가상자산에 포함되지 않는다는 점에서는 이견이 없다 이렇게 돼 있거든요.

지금 두 기관의 의견이 달라요. CBDC가 가상자산에 포함되느냐 안 되느냐에 대한 이견이 지금 있는 거예요. 그러다 보니까 한국은행은 명시적으로 법문에서 빼자 했고 금감원은 필요성이 낮다 이렇게 지금 온 것 아니에요.

그러면 거기에 대해서는 금융위원회의 의견을 한번 줘 보세요.

CBDC가 가상자산에 포함됩니까, 안 됩니까?

○금융위원회금융혁신기획단장 박민우 포함이 안되고요. 안 된다는……

○윤한홍 위원 안 되는데 한국은행은 포함된다고 지금 자료를 냈고.

○소위원장 김종민 이 문안이 그럴 여지가 있다는 거지요.

○윤한홍 위원 그래서 내가 이야기를 물어보는거지.

○한국은행부총재보 이종렬 예, 그렇게 해석될 여지가 있다라고……

○금융위원회금융혁신기획단장 박민우 안 된다라고 하는 건, CBDC는 화폐입니다. 디지털 형태의 법화입니다. 그렇기 때문에 가상자산이 아니라는 거고요.

(2023. 4. 25. 제405회 정무위원회 제1차 법안심사제1소위원회 中)"

기본적으로, 금융감독원과 금융위원회는 CBDC가 디지털 형태의 법정화폐이므로 가상자산이 아니라는 입장에서 굳이 조문에 명시할 필요가 없다고 보았으나, 한국은행은 CBDC를 가상자산으로 인식할 여지를 확실히 제외하기 위해서 이 법 조문에 가상자산에 제외해야 한다고 주장하였습니다. 이에 국회에서는 이를 명시하였을 때의 실익을 검토하였습니다.

"〇소위원장 김종민 일단 결론을 내리지요.

일단 위원님들이 다수설은 명시 배제를 넣자는 게 약간 많은 것 같아요, 숫자가. 어떻습니까?

〇박용진 위원 아니, 하나만.

아까 유의동 위원님이 말씀은 하셨습니다만 한국은행 부총재보님.

실익이 어떤 거예요? 그것만 분명하게 설득해 주시면 될 것 같아요. 명시 배제하면⋯⋯

〇한국은행부총재보 이종렬 명시 제외를 하느냐 아니면 기관 제외를 하느냐 이 두 가지 말씀을 하시는 건가요?

〇박용진 위원 아니, 그 실익이 뭐냐고요? 한국은행이 배제하고 됐을 때?

〇윤한홍 위원 법문에 명시적으로 배제 조항을 넣자는 실익이 뭐냐는 거지요.

○**한국은행부총재보 이종렬** 그런데 저희가 명시적으로 제외해 달라고 자꾸 요구하는 게, 사실 명시적으로 제외되어 있는 게 전자화폐·선불전자지급수단이 제외가 되어 있어요. 그러니까 지금 조문 자체가 그런 식으로 전체적으로 포괄하면서 이런 것 저런 것 제외시키는 걸로 되어 있기 때문에 저희는 CBDC도 제외시켜 달라고 요청을 하는……

○**오기형 위원** 선례가 아니라 실익이 뭔지를……

○**박용진 위원** 실익이 뭐냐고요?

○**한국은행부총재보 이종렬** 실익은 당장 우리가 연계 실험이라든지 연구하는 데 있어 가지고 굉장히, 만약에 포함된다면 사업자들이 굉장히 곤란을 겪을 수 있다, 당장 그런 어려움이 있다는 것을 말씀드립니다.

○**박용진 위원** 어떤 곤란이지요?

○**이용우 위원** 내가 예시를 하나 들어 드릴게요.

○**박용진 위원** 아니, 한국은행 잠깐 얘기 좀 들어 보세요.

○**한국은행부총재보 이종렬** CBDC 참여를 하는 사업자들이 이게 가상자산 사업인지, 가상자산사업이면 지금 얘기하고 있는 가상자산업법의 여러 가지 규제 대상이 되니까 그것을 다 지켜야 되는 겁니다. 사실 한국은행도 우리가 하는 사업에 대해서, 사실은 중앙은행이 CBDC 직접 발행은 하지만 연계돼서 하는 사업들이 쫙 깔려 있거든요. 그 사업자들이 굉장히 곤란을 겪을 수 있다 이런 말씀을 드리는 겁니다.

○**유의동 위원** 그런데 막연하다.

○**이용우 위원** 제가 설명을 하나 예시를 들어드리겠습니다.

제가 카카오뱅크를 설립할 때 예비인가를 받고 본인가를 받았습니다. 오픈한 것은 7월 달이었는데 본인가 해서 5월 달부터 서비스를 했습니다. 그 서비스는 직원들하고 관계사하고 서비를 하는데 그 서비스를 은행 본인가를 받지 않고서는 할 수가 없습니다.

왜냐하면 돈을 주고받고 송금하고 이체하는 과정을 해야 되기 때문에 실제 돈이 오가야 됩니다. 그런데 일단 ICT 같은 경우에 있어 가지고는 실테스트할 때 데이터만 왔다 갔다 하면 되는데 금융 쪽에서는 돈이 왔다 갔다 하거든요.

그런데 이 CBDC 테스트로 들어올 때 이 사람들이 실제 돈이 왔다 갔다 하는데 그게 인가사항에서 보면 가상자산의 규제를 받을까 안 받을까 할 때 자기들 해석의 여지가 생기기 때문에 한국은행에서 실거래 테스트하는 데 시간을 확보하는 데 장애가 있을 것 같습니다.

맞아요?

○**한국은행부총재보 이종렬** 예, 맞습니다.

○**소위원장 김종민** 그러면 박용진 위원님, 김성주 위원님이 양해해 주시면 일단 명시 배제를 집어넣어도 큰 부작용은 없잖아요. 약간 거추장스럽다 또는 가일수다 이런 느낌은 있지만 이게 큰 문제 발생 소지는 없는 것 아닙니까?

(중략)

○**수석전문위원 고상근** 예, 원안대로 그렇게 제외하는 게 맞을 것 같습니다.

○**박용진 위원** CBDC만 딱 정해서.

○**수석전문위원 고상금** 예, CBDC와 그 관련된 서비스.

○**박용진 위원** 그 조문을 해야 되겠는데.

○**소위원장 김종민** 그러면 일단 두 분 양해를 저넷로 해서 수석전문위원님께서 이 문안 최종 정리되면 우리 오늘 의결하기 전에 마지막으로 한번 보고를 해 주십시오.

(2023. 4. 25. 제405회 정무위원회 제1차 법안심사제1소위원회 中)"

결국, CBDC는 디지털 형태의 법정화폐이지만, 형태가 없다는 점에서 가상자산처럼 여겨질 수 있어 관련 사업자들이 각종 규제 대상이 되다보니 진행의 어려움이 있다는 우려가 주효했습니다. 따라서 「특정 금융거래정보의 보고 및 이용 등에 관한 법률」의 가상자산 정의 예외규정에 한국은행이 발행하는 전자적 화폐 및 그와 관련된 서비스를 추가하는 형식으로 가상자산의 범위에서 제외하도록 이 법 조문을 정리하였습니다.

다음으로, 아.목은 거래의 형태와 특성을 고려하여 대통령령으로 정하는 것이라고 규정하고 있습니다. 다만, 가상자산의 정의에 대해서 「특정 금융거래정보의 보고 및 이용 등에 관한 법률」에 따른 가상자산의 정의를 참고하였으므로, 위 법 시행령을 살펴보면 어느정도 예상이 될 것입니다[9]. 전자화되어 있지만, 가상자산이라고 볼 수

---

9) 특정 금융거래정보의 보고 및 이용 등에 관한 법률 시행령
제4조(가상자산의 범위) 법 제2조제3호사목에서 "대통령령으로 정하는

없는 것들을 정의할 것으로 보입니다. 아직 대통령령이 정비되지 않았으므로 어떤 내용이 추가적으로 기재될지는 추후 지켜볼 필요가 있습니다.

흥미로운 건, 앞서 언급한 것과 같이 가상자산이라 하면 일반적으로 비트코인과 같은 암호화폐를 떠올립니다. 암호화폐에서 핵심은 블록체인 기술일텐데, 가상자산에 대한 법적 정의에는 블록체인이나 관련 기술을 요건으로 정하고 있지 않습니다. 이는 블록체인 기술의 유무를 떠나서 NFT와 같이 새롭게 등장하는 경제적 가치재들도 포섭할 수 있는 가능성을 만들어줍니다.

다음으로, '가상자산사업가'에 대해서는 가상자산과 관련하여, 가상자산을 매도·매수, 다른 가상자산과 교환, 이전하는 행위 중 대통령령으로 정하는 행위, 보관·관리하는 행위, 매매나 교환을 중개·알선·대행하는 행위 등을 영업으로 하는 자를 말합니다. '이용자'란 가상자산사업가를 통하여 가상자산을 매매, 교환, 이전 또는 보관·관리하는 자를 뜻하고, '가상자산시장'이란 가상자산의 매매 또는 가상자산 간 교환을 할 수 있는 시장을 말합니다.

것"이란 다음 각 호의 것을 말한다.
1. 「전자금융거래법」 제2조제16호에 따른 전자채권
2. 발행자가 일정한 금액이나 물품·용역의 수량을 기재하여 발행한 상품권 중 휴대폰 등 모바일기기에 저장되어 사용되는 상품권
3. 그 밖에 제1호 및 제2호에 준하는 것으로서 거래의 형태와 특성을 고려하여 금융정보분석원의 장(이하 "금융정보분석원장"이라 한다)이 정하여 고시하는 것

비트코인을 사기죄의 객체인 재산상 이익으로 판단한 사건

- 대법원 2021. 11. 11. 선고 2021도9855 판결

【판결요지】

가상화폐의 일종인 '비트코인'은 경제적인 가치를 디지털로 표상하여 전자적으로 이전, 저장과 거래가 가능하도록 한 가상자산의 일종으로 사기죄의 객체인 재산상 이익에 해당한다.

착오로 송금된 돈을 인출하여 소비한 사건

- 대법원 2010. 12. 9. 선고 2010도891 판결

【사실관계】

피고인이, 甲 회사의 직원이 착오로 피고인 명의 은행 계좌에 잘못 송금한 돈을 임의로 인출·사용하여 횡령

[적용법조] 형법§355①(횡령 5년↓징역 또는 1천500만원↓벌금)

【이 유】

어떤 예금계좌에 돈이 착오로 잘못 송금되어 입금된 경우에는 그 예금주와 송금인 사이에 신의칙상 보관관계가 성립한다고 할 것이므로, 피고인이 송금 절차의 착오로 인하여 피고인 명의의 은행 계좌에 입금된 돈을 임의로 인출하여 소비한 행위는 횡령죄에 해당하고(대법원 1968. 7. 24. 선고 1966도1705 판결, 대법원 2005. 10. 28. 선고 2005도5975 판결, 대법원 2006. 10. 12. 선고 2006도3929 판결 등 참조), 이는 송금인과 피고인 사이에 별다른 거래관계가 없다고 하더라도 마찬가지이다.

착오로 이체된 비트코인 인출 사건

- 대법원 2021. 12. 16. 선고 2020도0789 판결

【요약】

비트코인이 법률상 원인관계 없이 갑으로부터 피고인 명의의 전자지갑으로 이체되었더라도 피고인이 신임관계에 기초하여 갑의 사무를 맡아 처리하는 것으로 볼 수 없는 이상 갑에 대한 관계에서 '타인의 사무를 처리하는 자'에 해당하지 않는다고 한 사례

【사실관계】

피의자는 알 수 없는 경위로 갑의 '힛빗' 거래소 가상지갑에 들어 있던 199.999비트코인을 자신의 계정으로 이체받았는데, 그 중 199.994비트코인을 자신의 다른 계정으로 이체하여 약 1,487,235,086원 상당의 총 199.994비트코인을 취득하여 배임

[적용법조] 특정경제범죄가중처벌등에관한법률§3①(배임 3년↑징역)

【주요쟁점 및 판결요지】

○ **가상자산이 재물 또는 재산상이익인지 여부**

- 가상자산은 국가에 의해 통제받지 않고 블록체인 등 암호화된 분산원장에 의하여 부여된 경제적인 가치가 디지털로 표상된 정보로서 재산상 이익에 해당한다(대법원 2021. 11. 11. 선고 2021도9855 판결 참조).

○ **타인의 사무를 처리하는 지위에 있는지 여부(소극)**

- 가상자산 권리자의 착오나 가상자산 운영 시스템의 오류 등으로 법률상 원인관계 없이 다른 사람의 가상자산 전자지갑에 가상자산이 이체된 경우, 가상자산을 이체받은 자는 가상자산의 권리자 등에 대한 부당이득반환의무를 부담하게 될 수 있다. 그러나 이는 당사자 사이의 민사상 채무에 지나지 않고 이러한 사정만으로 가상자산을 이체받은 사람이 신임관계에 기초하여 가상자산을 보존하거나 관리하는 지위에 있다고 볼 수 없다.

- 또한 피고인과 피해자 사이에는 아무런 계약관계가 없고 피고인은 어떠한 경위로 이 사건 비트코인을 이체받은 것인지 불분명하여 부당이득반환청구를 할 수 있는 주체가 피해자인지 아니면 거래소인지 명확하지 않다. 설령 피고인이 피해자에게 직접 부당이득반환의무를 부담한다고 하더라도 곧바로 가상자산을 이체받은 사람을 피해자에 대한 관계에서 배임죄의 주체인 '타인의 사무를 처리하는 자'에 해당한다고 단정할 수는 없다.

○ **법정화폐와 동일한 보호를 해야하는지 여부(소극)**

- 가상자산은 국가에 의해 통제받지 않고 블록체인 등 암호화된 분산원장에 의하여 부여된 경제적인 가치가 디지털로 표

상된 정보로서 재산상 이익에 해당한다. 가상자산은 보관되었던 전자지갑의 주소만을 확인할 수 있을 뿐 그 주소를 사용하는 사람의 인적사항을 알 수 없고, 거래 내역이 분산 기록되어 있어 다른 계좌로 보낼 때 당사자 이외의 다른 사람이 참여해야 하는 등 일반적인 자산과는 구별되는 특징이 있다. 이와 같은 가상자산에 대해서는 현재까지 관련 법률에 따라 법정화폐에 준하는 규제가 이루어지지 않는 등 법정화폐와 동일하게 취급되고 있지 않고 그 거래에 위험이 수반되므로, 형법을 적용하면서 법정화폐와 동일하게 보호해야 하는 것은 아니다.

○ **갑에게 배임죄가 성립하는지 여부(무죄)**

- 원인불명으로 재산상 이익인 가상자산을 이체받은 자가 가상자산을 사용·처분한 경우 이를 형사처벌하는 명문의 규정이 없는 현재의 상황에서 착오송금 시 횡령죄 성립을 긍정한 판례를 유추하여 신의칙을 근거로 피고인을 배임죄로 처벌하는 것은 죄형법정주의에 반한다.
- 비트코인이 법률상 원인관계 없이 갑으로부터 피고인 명의의 전자지갑으로 이체되었더라도 피고인이 신임관계에 기초하여 갑의 사무를 맡아 처리하는 것으로 볼 수 없는 이상 갑에 대한 관계에서 '타인의 사무를 처리하는 자'에 해당하지 않는다.

3. 국외행위에 대한 적용

> **제3조(국외행위에 대한 적용)** 이 법은 국외에서 이루어진 행위
> 로서 그 효과가 국내에 미치는 경우에도 적용한다.

국외에서 이루어진 행위라도 국내에 영향을 미치는 행위는 이 법
의 적용을 받도록 규정하였습니다. 가상자산은 통상 거래소를 통해
서 매매가 이루어지는 것으로 주식시장과 흡사한 면이 있습니다.
장 마감이 없는 24시간 매매가 이루어지는 주식시장이라고도 하지
요. 또한, 매수인이나 매도인이 전세계에서 퍼져있기 때문에 국외에
서 이루어진 행위는 언제든 발생 가능하고, 국외에서 발생한 불공
정거래 행위가 국내 이용자에게 영향을 미칠 수도 있습니다. 가상
자산이용자 보호를 위해서는 국외행위에 대해서도 이 법 적용이 가
능해야 함은 당연한 결론일 것입니다. 증권, 파생상품 등 자본시장
과 금융투자업에 대해 규정한 「자본시장과 금융투자업에 관한 법
률」에도 이와 동일한 규정이 있습니다.[10]

---

10) 자본시장과 금융투자업에 관한 법률 제2조(국외행위에 대한 적용) 이
    법은 국외에서 이루어진 행위로서 그 효과가 국내에 미치는 경우에도
    적용한다.

4. 다른 법률과의 관계

> **제4조(다른 법률과의 관계)** 가상자산 및 가상자산사업자에 관하여 다른 법률에서 특별히 정한 경우를 제외하고는 이 법에서 정하는 바에 따른다.

가상자산 및 가상자산사업자에 대하여 다른 법률에서 특별히 정한 경우를 제외하고는 이 법에서 정하는 바에 따르도록 하였습니다. 가상자산에 관해서는 이 법에 일반법으로 지위를 부여한다는 취지입니다.

"○수석전문위원 고상근 다른 법률과의 관계에 있어서 자본시장법상 증권의 성격을 갖는 가상자산에 대해서는 자본시장법을 우선 적용한다는 내용을 이 법안에 명시적으로 규정할지 여부에 대한 사항입니다.

이와 관련해서 금융위원회와 금융감독원은 명시할 필요가 없다는 의견입니다.

○금융위원회부위원장 김소영 다른 법률에서 특별히 규정할 경우 그 법이 우선적으로 적용된다는 조항에 따라 특별히 명시하지 않아도 증권 성격의 가상자산은 자본시장법이 우선 적용됩니다.

또한 가상자산 정의에서 증권성 가상자산을 배제하는 경우 오히려 이용자 보호에 공백이 발생할 우려가 있으므로 증권에 대한 별도의 적용 배제 규정을 두지 않는 것이 바람직하다고 생각합니다.

○소위원장 **김종민** 　의견 말씀해 주세요.

○**윤창현 위원** 　금융위원회 의견에 동의합니다.

○소위원장 **김종민** 　넘어갈까요?

　(「예」 하는 위원 있음)

(2023. 4. 25. 제405회 정무위원회 제1차 법안심사제1소위원회 中)"

5. 가상자산 관련 위원회의 설치

> **제5조(가상자산 관련 위원회의 설치)** ① 금융위원회는 이 법 또
> 는 다른 법령에 따른 가상자산시장 및 가상자산사업자에 대한
> 정책 및 제도에 관한 사항의 자문을 위하여 가상자산 관련 위
> 원회를 설치·운영할 수 있다.
> ② 제1항에 따른 위원회의 구성 및 운영 등에 관하여 필요한
> 사항은 대통령령으로 정한다.

금융위원회는 가상자산시장 및 가상자산사업자에 대한 정책, 제도
에 관한 사항의 자문을 위하여 가상자산 관련 위원회를 설치·운영
할 수 있도록 규정하였습니다. 자문위원회인 셈인데, 위원회를 어떻
게 구성·운영할지는 추후 대통령령이 정해지면 살펴봐야할 것입니
다.

사실, 가상자산 관련 위원회에 대해서 국회에서 많은 논의가 있었
습니다. 이걸 행정위원회로 보아야할지 단순 자문기구로 보아야할
지 법률적인 고민이 있었습니다. 법에 위원회를 규정하다보니 행정
위원회로 해석될 여지가 있고, 이 경우 합의제 행정관청으로 기능
을 할 수 있게 되는데, 그렇다면 금융위원회 내에 또 다른 행정관
청으로서의 위원회가 설치되다보니 문제가 있다는 의견이 있었습니
다. 결국은, 정책 자문을 위한 위원회로 정리가 되었습니다.

"○수석전문위원 고상근 일단은 가상자산위원회, 자문기구 설치
하는 것에 대해서 윤창현 위원님께서 준비하신 안이 있으신 것 같

은데……

○윤창현 위원 내가 얘기를 해요?

○수석전문위원 고상근 예, 제가 자료가 없어서요.

○윤창현 위원 합의한 것을 받았습니다. 그래서 월급 받지 않는 비상임위원 5명, 입법정책 제도 개선 권고 국한, 조사권·압수수색권은 삭제 그리고 금융위원장 자문기구로 법률적 근거 없이 설치하는 것과 법률에 근거를 둬 책임성을 부여하는 것은 선택적 입법 사안 이렇게 해 가지고, 그다음에 가상자산 전문가와 금융전문가의 인력풀이 다르다는 사실도 확인을 했고, 그래서 이렇게 조항을 만들어 왔네요.

○소위원장 김종민 누가 만들어 온 거예요, 이것?

○윤창현 위원 이것 둘이 만든 거지요, 행정부하고?

○금융위원회부위원장 김소영 예.

○소위원장 김종민 금융위에서 만든 거예요?

○윤창현 위원 예, 금융위하고 행안부가 협의를 해서 만들었습니다.

○소위원장 김종민 그런데 거기서 선택, 우리가 그것 가지고 아까 오전에 1시간 얘기한 거예요. 선택을 뭘로 할 거냐고. 그러니까 법에 조항을 넣을 건지 말 건지가 지금 쟁점인데 그것을 선택하라고……

○윤창현 위원 법률에 근거를 어떻게 넣을 건지를 합의했어요, 여기 조항으로.

○이용우 위원 아니, 조항은 법에 넣을 수도 있고 안 넣을 수

도 있고 그렇게 하시고 난 다음에……

○소위원장 김종민 그러면 위원님들께서 윤창현 위원님이 제안하신 제안이 부작용이 예상되거나 뭔가 문제점이 발견되면 얘기를 해 주시고 그렇지 않으면 그냥 정책자문 정도의 기구를 법에 넣는 게 자연스럽지는 않으나 수용해 줄 수 있는지 이 의견만 빨리 얘기해 주세요.

○이용우 위원 저는 그것을 법에 넣을 필요가 없다고 생각합니다. 금융위원장이 자율적으로 자문기구를 두고 결과를 보고 난 다음에 그에 따라서 필요하면 다시 얘기할 사안이지 그것을 법에 명문화하는 것은 말이 안 되는 것 같습니다.

○소위원장 김종민 명문화하면 안 되는 이유가 뭐지요?

○윤창현 위원 이유가 뭡니까?

○이용우 위원 근거가 없잖아요. 지금 법에……

○윤창현 위원 왜 근거가 없어요?

○이용우 위원 법에 넣을 수도 있고 안 넣을 수도 있다고 했는데……

○소위원장 김종민 그것은 근거가 있고 없고를 떠나서 법에 안 넣는 게 필요한 이유를 얘기해 주시면 돼요.

○이용우 위원 굳이 법에 넣지 않더라도 금융위원장이 자율적으로 자문기구를 두고 비상근 한다는 부대의견이라든지 이렇게 두면 되지 그것을 법률에 명시를 하고 그러면……

○소위원장 김종민 그러면 넣으면 안 된다는 것보다는 넣을 필요가 없다, 안 넣어도 된다는 거지요?

○이용우 위원   예, 그렇지요.

○소위원장 김종민   안 넣어도 상관없다는 거지 넣으면 절대 안 된다 이것은 아니잖아요?

○이용우 위원   아니, 행정법상으로……

○소위원장 김종민   지금은 그 결정을 해 줘야 돼요.

○이용우 위원   자문기구를 그렇게 법률적으로 하는 게……
존경하는 윤한홍 위원님, 행정도 많이 하셨잖아요.

○윤한홍 위원   나는 뭐 우리 당 위원님이 주장을 하기 때문에 이야기하기가 불편해요.

○박용진 위원   저도 의견을 말씀드리면 최종적으로 이용우 위원님 의견에 공감을 하고요. 이유는 그렇습니다.

존경하는 윤창현 위원님께서 말씀하신 서두에 대통령의 공약사항 또 이재명 당시 후보의 공약사항을 얘기하신 것은 그 취지가 상당히 독립성을 가지고 있고 상당한 권한을 가지고 있는 그런 위원회를 생각했던 것 아니겠습니까?

그런데 지금은 그것을 이것 빼고 저것 빼고 다 하면 사정상 그런 것에 미치지도 못할뿐더러 괜한 오해를 살 수도 있기도 하고 하니까 그 금융위원회 안에서 자율적으로 그런 위원회를 구성하시고, 자문기구 정도라면 그렇게 하시고 그것을 바탕으로 해서 여러 사례와 경험들을 쌓은 뒤에 필요한 기구라는 게 확인이 되면 그때 법 개정을 해도 늦지는 않을 거라고 생각을 합니다.

지금은 그냥 이름만 거는데 뭐 어때라고 하지만 이 법의 첫 출발 자체가 그랬던 것은 아니기 때문에 우리가 그것을 다 알고 있는 상황에서 괜한 오해를 서로 가지고서 할 필요는 없을 것 같습니다.

○소위원장 김종민 오해의 내용이 뭐예요, 오해? 그러니까 오해의 여지가 있다 이 대목이 뭡니까?

○박용진 위원 첫 취지는 행정위원회로서 제안을 했던 것 아닙니까, 대통령 공약사항이든 이재명 후보의 공약사항이든 간에?

○소위원장 김종민 그런데 지금 내용은 그게 아닌 거지요.

○박용진 위원 그런데 지금 내용이 전혀 다른건데, 첫 출발은 그렇게 했는데 굳이 이것을 법에 근거사항을 만들어서까지 할 필요가 있겠냐는 겁니다. 전혀 다른 것이기 때문에 거기에 맞게 하시면 되는 거라고 생각을 해요.

○윤창현 위원 제가 한 말씀 드리면 그렇게까지 갔다가 여기까지 후퇴를 했으니까 이 정도는 가능하게 해 주는 게 좋겠다 저는 그렇게 생각을 하고.

그리고 법 또는 다른, 여기 법령까지 만들어왔어요. '정책 및 제도에 관한 사항들을 심의하기 위하여 금융위원회 소속으로 가상자산위원회를 둔다. 그리고 위원회 구성 및 운영 등에 관하여 필요한 사항은 대통령령으로 정한다', 이 정도로 딱 해서 근거를 넣어 주면 좋을 것 같습니다. 그럿도 안 된다고 할 이유가 뭐가 있는지 모르겠어요.

○이용우 위원 저는 이 부분에서 가상자산위원회라고 했을 때, 일반적으로 위원회 하면 일종의 권한과 조사권을 갖고 있는 것으로 해석되어질 수가 있습니다. 그런데 우리가 논의를 했던 것을

했다고 하더라도 위원회 내에 증선위 또는 증선위보다 낮은 위원회든 이런 위원회와 위원회의 관계 같은 것들이 행정법상으로 명료하지 않은 상태 속에서 지금 여기서 자문위라고 하는 것으로 있는데 법에 규정하는 순간 다른 사람들이 그렇게 해석할 여지가 있기 때문에 그게 오해가 된다는 겁니다.

○소위원장 김종민 오케이, 이것은 일리가 있다고 봅니다.

윤창현 위원님께서 가상자산정책자문위원회를 요구하시는 거예요, 내용적으로는 행정위원회가 아니고.

그러면 가상자산정책자문위원회를 가상자산위원회라는 이름으로 법령으로 설치하게 됐을 경우에 일반적으로 그 가상자산위원회가 행정위원회로 오인될 여지가 있다는, 그러니까 조직의 혼선의 여지도 현실적으로 존재하니까 여기에 대한 대답을 해 보세요.

○윤창현 위원 그건 지금 행안부에서 안 된다는 얘기이고 대통령령에서 그게 통과될 리가 없는 것이고, 여기 보면 조사권, 압수수객권, 행정권 유사 조항 삭제예요. 월급받지 않는 비상임위원 다섯 명이고.

○소위원장 김종민 내용은 그런데, 내용은 알아요. 내용은 아는데……

○윤창현 위원 그렇게 내용을 다 거기다 담으면 되는데 그거 하나 안 넣어 준다고……

○소위원장 김종민 이름을 가상자산위원회라는 이름으로……

○윤창현 위원 이름을 막 붙이면 되지요.

○소위원장 김종민 법령으로 설치할 경우에는 이게 정책자문위

원회가 아닌 행정위원회인 것으로 오해할 여지가 있다, 이 우려……

○윤창현 위원   그러면 부대의견으로 그것을 집어넣지요.

○소위원장 김종민   아니야. 내용상으로는 이견이 없다, 내용상으로는 되는데 일반적으로 우리가 운영할 때.

○윤창현 위원   그러니까 부대의견으로 말씀하시면 되는 거 아닙니까. 그렇게 해서 오해받지 않도록 한다 이런 걸 부대의견으로 넣고.

그리고 행안부에서 대통령령으로 정할 때 그걸 가만 두겠어요, 그렇게 하면? 그렇게 해서 2단계까지 갈 수 있도록 차별화된 어떤 간판 하나 달아 드리자 이런 얘기인데 그걸 그렇게 될 오해가 있다고 그러세요.

○소위원장 김종민   그런데 하여간 지금 위원님들 이거 한번 보세요. 윤창현 위원님 얘기의 요지는 내용적으로 확대하자는 의견은 아닌 것 같거든요, 그것은 분명한 것 같고. 단지 가상자산업무가 금융위의 본업무가 아닌데 지금 누가 마크를 못하니까 금융위법으로 임시로 만들어 놓는 거예요. 그렇다면 위원회라도 만들어서 뭔가 가상자산 업무라고 하는 것이 새로 출현했다는 것을 상징적으로 표시를 해 두는 게 필요하지 않느냐 그런 정도의 약간 상징적인 제안이라고 보는데.

이게 생길 수 있는 부작용, 저는 아까 이걸 혼선, 거기서 무슨 의사결정하는 기구 아니냐 이런 식의 혼선 가능성은 제가 보기에는 조금 문제가 있을 것 같아요.

○윤창현 위원 아무튼 부대의견 달고 대통령령에 대해서도 얘기를 하면 될 거 아닙니까. 그러니까 정확하게 금융이 아니란 말이에요. 금융위원회가 금융이라는데……

○소위원장 김종민 그 취지는 충분히 알겠어요. 충분히 알겠으니까……

○윤창현 위원 그런데 그것을 얘기를 해야지요.

○소위원장 김종민 그래도 동의가 안 되면 또 통과가 어려운 거니까 위원님들이 저 취지에 따라서 내용 확대가 안 되는 위원회를 정책자문위원회 내용으로 일단 법령으로 상징적으로 설치하자, 여기에 대한 의견들을 빨리 얘기를 해 주시고 정리합시다.

○윤창현 위원 아니, 상관이 없는 게 아니라 상관이 있지요. 2단계까지 가려면 이게 있어야 잘 갈 서 아닙니까.

○이용우 위원 자문에서 해도 2단계 갈 수 있습니다.

○윤창현 위원 아이, 좀 해 주시지요. 이거 뭐 그렇게 간판 하나 다는데……

○소위원장 김종민 윤창현 위원님, 지금 윤창현 위원님 안에 찬동하는 위원이 한 분이라도 더 계시면 이거 계류를 하겠는데 윤창현 위원님 한 분이 주장하시는 거면 이것은 그냥 합의를 하는 게 낫지 않을까요?

○윤창현 위원 저밖에 없다고요?

○소위원장 김종민 지금 분위기가 그럴 것 같은데.

○유의동 위원 소위원장님이 그렇게 말씀하시면 저도 찬동하는 쪽으로 방향이 돌아갈 수밖에 없잖아요.

○**소위원장 김종민** 그러면 윤창현 의원안을 받아들이자고요?

○**윤창현 위원** 지금 받아주시겠다고 그러시잖아요.

○**윤한홍 위원** 예, 그냥 해 줘도 관계없고 안해 줘도 관계없어요.

○**소위원장 김종민** 그러니까 제가 보기에도 이게 아주 결정적인 건 아니에요.

○**윤창현 위원** 하나하나 달아 주시지요, 그렇게.

○**소위원장 김종민** 꼭 넣겠다는 사람과 절대 안된다는 사람이 있어요.

○**이용우 위원** 행정 조직 속에 어떤 조직을 두게 되면 그 조직 자체가 자체의 논리를 가져가면서 계속적으로 확대하는 경향이 있으면서 불필요한 일들을 할 수도 있습니다. 그거에 대해서 면밀하게 검토가 되지 않은 상태 속에서 그것도 법에 할 수도 있고, 안하고 금융위가 자율적으로 할 수 있으면 자율적으로 해서 필요성이 있으면 그걸 국회와 이렇게 설득을 해서 해야 되는 거지, 그걸 시행령으로 둘 수 있고 시행령으로 했을 때 행안부가 합의하겠느냐. 왜 자꾸 입법 권한을 조직 특성을 밑으로 내리냐는 거예요. 저는 그건 있을 수가 없다고 생각합니다.

○**윤창현 위원** 아니, 여기다 입법을 하잖아요. 가상자산위원회라고 이렇게 하나 간판을 두고.

○**이용우 위원** 그것을 위원회라고 뒀을 때 그게 위원회입니까?

○**소위원장 김종민** 자, 좋습니다. 이용우 위원님 말씀 많이 하셨으니까 말씀 안 하신 분들만 한번씩 말씀하시고 이 문제 결론 내겠습니다.

○윤한홍 위원 그러면 만약에 두 분 중재를 위해서 법에 넣는다면 명확하게 금융위원회는 가상자산에 대한 자문기구로서 가상자산특별위원회나 디지털자산특별위원회를 둘 수 있다 이 정도로 중재안을 해서 넣으면 어떻습니까? 자문기구라는 것을, 자문기구라는 것을 명시하고 둘 수 있다 이 정도로 넣으면 어때요? 법안서로 양쪽이 타협하는 안 아닙니까? 어떻습니까?

○소위원장 김종민 그것도 한번 판단해 보세요.

○윤한홍 위원 자문기구라는 걸 법에 명시를 하고, 끝에 둘 수 있다 이렇게 두면 어떻나요?

○박재호 위원 자문기구도 법에 둬요?

○윤한홍 위원 그러니까 자문위원회든 디지털자산위원회를 둘 수 있다 이렇게 넣으면 두 분이 서로 완화가 안 됩니까?

○윤창현 위원 그 정도로 하시지요.

○이용우 위원 저는 그 경우에도 가상자산위원회가 아니고요. 가상자산자문위원회라고 명시를 해야 됩니다.

○소위원장 김종민 가상자산정책자문위원회.

○이용우 위원 정책자문위원회를 둘 수 있다.

○소위원장 김종민 그러면 그 정도로 합시다.

○윤창현 위원 관련 위원회라고 그러지요.

○박용진 위원 가상자산 관련 해요. 관련 위원회라고 해요.

○소위원장 김종민 그러면 정책 자문을 위한 위한 관련 위원회를 둘 수 있다 이 정도 합시다.

수석님, 전달이 됐지요?

○수석전문위원 고상금　예.

○소위원장 김종민　정책 자문을 위해서 가상자산 관련 위원회를 둘 수 있다 이렇게.

그다음.

(2023. 4. 25. 제405회 정무위원회 제1차 법안심사제1소위원회 中)"

가상자산 이용자 보호 등에 관한 법률

제2장　이용자 자산의 보호

제2장   이용자 자산의 보호

제2장은 가상자산 이용자 자산의 보호를 위하여 예치금의 보호, 가상자산의 보관, 보험의 가입, 가상자산거래기록의 생성·보존 등에 관한 사항을 규정합니다.

1. 예치금의 보호

> **제6조(예치금의 보호)** ① 가상자산사업자는 이용자의 예치금(이용자로부터 가상자산의 매매, 매매의 중개, 그 밖의 영업행위와 관련하여 예치받은 금전을 말한다. 이하 같다)을 고유재산과 분리하여 「은행법」에 따른 은행 등 대통령령으로 정하는 공신력 있는 기관(이하 "관리기관"이라 한다)에 대통령령으로 정하는 방법에 따라 예치 또는 신탁하여 관리하여야 한다.
> ② 가상자산사업자는 제1항에 따라 관리기관에 이용자의 예치금을 예치 또는 신탁하는 경우에는 그 예치금이 이용자의 재산이라는 뜻을 밝혀야 한다.
> ③ 누구든지 제1항에 따라 관리기관에 예치 또는 신탁한 예치금을 상계·압류(가압류를 포함한다)하지 못하며, 예치금을 예치 또는 신탁한 가상자산사업자는 대통령령으로 정하는 경우 외에는 관리기관에 예치 또는 신탁한 예치금을 양도하거나 담보로 제공하여서는 아니된다.
> ④ 관리기관은 가상자산사업자가 다음 각 호의 어느 하나에 해당하게 된 경우에는 이용자의 청구에 따라 예치 또는 신탁된 예치금을 대통령령으로 정하는 방법과 절차에 따라 그 이용자

> 에게 우선하여 지급하여야 한다.
> 1. 사업자 신고가 말소된 경우
> 2. 해산 · 합병의 결의를 한 경우
> 3. 파산선고를 받은 경우

　주식시장에서 주식은 각 투자증권계좌를 통해서 거래를 하는 것처럼, 가상자산은 가상자산 거래소를 통해서 거래를 할 수 있습니다. 그런데 주식시장은 금융감독원의 감독을 받는 금융회사인 반면에, 가상자산 거래소는 너무 많은 거래소가 존재하고 금융회사만큼 자본이 안정적이거나 운영이 투명하지 않을 수도 있습니다. 가끔 뉴스에서 가장자산 거래소가 부도나는 경우도 있지요. 그러다보니 가장자산 이용자들의 예치금을 보호할 필요가 있어 본 조와 같이 규정하였습니다.

　가상자산사업자는 이용자의 예치금을 가상자산사업자의 고유재산과 분리하여 대통령령으로 정하는 공신력 있는 기관에 대통령령으로 정하는 방법에 따라 예치 또는 신탁하여 관리하여야 합니다. 이때, 그 예치금이 이용자의 재산이라는 뜻을 밝혀야 하며, 누구도 이렇게 예치 또는 신탁한 예치금을 상계, 압류(가압류 포함)하지 못하고, 대통령령으로 정하는 경우 외에는 양도하거나 담보로 제공하여서도 안됩니다.

　예치금 관리기관은 가상자산사업자의 사업자 신고가 말소된 경우, 해산·합병의 결의를 한 경우, 파산선고를 받은 경우에는 예치금을 대통령령이 정하는 방법과 절차에 따라 그 이용자에게 우선하여 지급하여야 합니다.

2. 가상자산의 보관

> **제7조(가상자산의 보관)** ① 가상자산사업자가 이용자로부터 위탁을 받아 가상자산을 보관하는 경우 다음 각 호의 사항을 기재한 이용자명부를 작성·비치하여야 한다.
> 1. 이용자의 주소 및 성명
> 2. 이용자가 위탁하는 가상자산의 종류 및 수량
> 3. 이용자의 가상자산주소(가상자산의 전송 기록 및 보관 내역의 관리를 위하여 전자적으로 생성시킨 고유식별번호를 말한다)
> ② 가상자산사업자는 자기의 가상자산과 이용자의 가상자산을 분리하여 보관하여야 하며, 이용자로부터 위탁받은 가상자산과 동일한 종류와 수량의 가상자산을 실질적으로 보유하여야 한다.
> ③ 가상자산사업자는 제1항에 따라 보관하는 이용자의 가상자산 중 대통령령으로 정하는 비율 이상의 가상자산을 인터넷과 분리하여 안전하게 보관하여야 한다.
> ④ 가상자산사업자는 이용자의 가상자산을 대통령령으로 정하는 보안기준을 충족하는 기관에 위탁하여 보관할 수 있다.

　제6조가 예치금에 대한 보호규정이었다면, 제7조는 가상자산에 대한 보호규정입니다. 가상자산사업자가 이용자로부터 위탁을 받아 가상자산을 보관하는 경우에는, 이용자의 주소 및 성명, 이용자가 위탁하는 가상자산의 종류 및 수량, 이용자의 가상자산주소(전자지갑을 의미합니다) 등을 기재한 이용자명부를 작성·비치하여야 합니다.

　또한, 가상자산사업자는 자신의 가상자산과 이용자의 가상자산을 분리하여 보관하여야 하며, 이용자로부터 위탁받은 가상자산과 동일한 종류와 수량의 가상자산을 실질적으로 보유하여야 합니다. 아무래도 가상자산의 특성상 실물이 없는 자산이다보니 전산상으로 (또는 페이퍼만으로) 보유하고 있는 것처럼 보이게 할 수도 있으니 실질적으로 보유하라는 의무규정을 해둔 것입니다.

이용자로부터 위탁받아 가상자산을 보관하는 경우에는 대통령령으로 정하는 비율 이상의 가상자산을 인터넷과 분리하여 안전하게 보관하여야 합니다. 가상자산 거래소가 해킹 당하는 사례가 있어 이용자의 가상자산을 안전하게 보관하기 위함입니다. 다만, 어느정도의 비율을 분리하여 보관할 것인지는 대통령령을 살펴보아야 할 것입니다.

이외에 가상자산사업자는 이용자의 가상자산을 대통령령으로 정하는 보안기준을 충족하는 기관에 위탁하여 보관할 수 있습니다.

3. 보험의 가입 등

> **제8조(보험의 가입 등)** 가상자산사업자는 해킹·전산장애 등 대통령령으로 정하는 사고에 따른 책임을 이행하기 위하여 금융위원회가 정하여 고시하는 기준에 따라 보험 또는 공제에 가입하거나 준비금을 적립하는 등 필요한 조치를 하여야 한다.

가상자산사업자는 해킹·전산장애 등 대통령령으로 정하는 사고에 따른 책임을 이행하기 위하여 보험 또는 공제에 가입하거나 준비금을 적립하는 등 필요한 조치를 하여야 합니다. 제7조와 같이 이용자의 가상자산을 안전하게 보관하기 위함입니다. 해킹·전산장애 외에 어떤 사고가 포함될지는 대통령령을 살펴보아야할 것이고, 보험·공제·준비금적립에 대한 기준은 금융위원회에서 정합니다.

4. 거래기록의 생성·보존 및 파기

> **제9조(거래기록의 생성·보존 및 파기)** ① 가상자산사업자는 매매 등 가상자산거래의 내용을 추적·검색하거나 그 내용에 오류가 발생할 경우 이를 확인하거나 정정할 수 있는 기록(이하 "가상자산거래기록"이라 한다)을 그 거래관계가 종료한 때부터 15년간 보존하여야 한다.
> ② 가상자산사업자가 보존하여야 하는 가상자산거래기록의 종류, 보관방법, 파기절차·방법 등에 관하여는 대통령령으로 정한다.

가상자산사업자는 매매 등 가상자산거래의 내용을 추적·검색하거나 그 내용에 오류가 발생할 경우 이를 확인하거나 정정할 수 있는 기록을 그 거래관계가 종료한 때부터 15년간 보존하여야 합니다. 가상자산이 범죄수익은닉이나 자금세탁의 수단으로 사용되는 경우가 있고, 해킹이나 전산장애 등으로 손실이 발생할 수도 있기 때문에 거래기록을 보존하는 것에 대해서는 이의가 없을 겁니다. 다만, 처음 개정안에는 보존기간이 5년이었는데, 그 기간에 대해 국회에서 논의가 있었습니다. 특히, 15년으로 정했을 때, 상법상 장부보관의무는 10년인데, 가산자산사업가에 대해서 15년으로 정한다면 특별한 입법적 이유가 있어야 되는 것이 아니냐는 의견이 오고갔습니다.

"○수석전문위원 **고상근** 다음, 뒷장에 보시면 거래기록의 생성·보존 관련된 자료가 있습니다. 저희 개정안에서는 보존기간이 5년으로 돼 있었는데 의원님께서 15년 말씀하신 부분이 있어서 저희가 정리를 해봤습니다.

현행 국세기본법상에 제척기간은 15년으로 돼 있고요. 납세자가 거래에 관한 장부 및 증거서류는 5년간 보존하도록 돼 있습니다. 상법상 현행법 상인은 10년, 5년이고요. 박용진 의원님께서 발의하신 개정안에는 금융회사 등에 한해서만 15년으로 연장하고 있습니다. 현행 전금법은 금융회사 등이 의무 주체이고 5년으로 돼 있습니다. 그다음 박용진·이용우 의원님께서 대표발의하신 실명거래법 개정안에서는 금융회사 등에 한해서 15년으로 연장하는 그런 개정안들이 나와 있습니다. 참고하셔서 결정하시면 될 것 같습니다.

○소위원장 김종민　어떻게 할까요?

○이용우 위원　제가 15년을 했던 이유는 제척기간이 보통 10년으로 되어 있는데 국세기본법 26조의2에서의 부정한 방법에 의한 상속세나 증여세 탈루의 경우에는 15년으로 한다 이 근거를 가졌기 때문이거든요.

그런데 가상자산사업자 거래소에서 거래했던 그 거래내역을 봐야지만 제척기간 내에 탈세의 유무나 이런 부분을 조사할 수 있기 때문에 15년으로 했던 거고 상법이나 금융거래법도 각각 15년으로 했던 이유는 거기에 있습니다. 그렇기 때문에 저는 15년이 타당하가고 봅니다.

○소위원장 김종민　그러면 이것은 상법 개정 아니어도 가능한 거네요. 여기 포탈하거나 환급·공제의 경우 15년의 조항이 있네.

현재로.

이건 이견 없으십니까?

(「예」하는 위원 있음)

그러면 넘어가겠습니다.

○**오기형 위원** 잠깐만요. 약간 고민만 한 번 더 해 보자고 계속 제기했던 건데, 이런 것 같습니다.

이 장부라고 하는 걸 몇 년 보관하는 게 사회적으로 적정하냐의 문제를 지금 논의하고 있는 거니까 이 개정안으로 넣ㄹ을 수는 있다고 보고요. 15년 넣을 수는 있는데, 지금까지 10년 관행이 있으면 10년에 대해서 사회적인 부담, 이 영업을 하는 사람들의 부담을 어디까지 수용해 줄 거냐 해서 10년이라고 틀이 만들어진 거고요.

그다음 또 하나는 보통 지금 세무 문제면 세무로 해서 그것까지 연장하는 게 적절하나, 규제하는 입장에서는 길면 길수록 좋은 거지요. 그러나 어느 정도까지 적절하냐에 대해서 그래도 약간의 고민과 소통이 필요하고 풀면 어떨까 싶어서 계속 좀, 그렇습니다.

○**박용진 위원** 현재 다른 법에서도 이렇게 있는지를 확인하자 그러셨는데, 그래서 지금 확인을 해 왔는데 15년으로 하는 관련 법들이 있으니까…….

○**오기형 위원** 다시 제가, 이런 겁니다. 주신 자료 3페이지를 놓고 보면 장부의 보관의무는 통상적으로 10년인 겁니다. 지금 이 법을 개정하게되면 장부 보관의무를 가상자산사업에 대해서는 15년으로 바꾸는 효과가 있는 겁니다. 그다음에 장부 보관의무를 10

년으로 했음에도 불구하고 국세청에서 상속세·증여세 문제는 별도로 제척기간을 15년으로 한 겁니다.

그러니까 국세청법에서 이야기하는 것은 장부의 보관의무를 15년으로 한 게 아니라 이것에 대한 세금 추징의 시간을 5년 연장해 준 것입니다. 그러니까 이 15년의 근거 기준이 장부 보관의무의 다른 것과는 개념이 좀 다른 거지요.

○소위원장 김종민 오케이. 그것도 일리가 있네요.

○이용우 위원 그런데 최근에 전산 스토리지 감안하면, 금융회사가 벌써 10년 이상 다 하고 있고요. 국세청에도 확인을 해 본 바로는 국세청에서도 15년으로 해 달라, 왜냐하면 세무조서나 이렇게 했을 때 근거를 확보하기 위해서.

그건 흐름이라고 생각하기 때문에, 저는 예전처럼 서류로 이렇게 장부를 보관했을 때 10년이라는 건 굉장히 긴 기간인데 요즘은 그렇지가 않기 때문에 15년으로 해도 크게 무리가 되지 않는다고 생각합니다.

○박재호 위원 일단 해 놓고 법사위에 넘기시지요. 일단 상의를 해야지, 나머지는 저기 가서 하고.

○오기형 위원 아마 거기서 논쟁을 한 번 더 할 거에요.

○소위원장 김종민 아니, 지금 이제 상법의 장부 보관 10년하고 다른 것은 조금 무리가 있을 것 같은데. 우리가 상당히 창의적인 입법을 하는 거예요, 지금. 그런데 이 창의적인 입법의 필요성이……

○박재호 위원 가상자산은 특히 더 나중에 상속이나 여러 가지

부정이 생길 수 있어서, 옛날처럼 장부를 책으로 해 놓는 게 아니기 때문에 이런 식으로 해 놓는 것이 나중에 과세하는 데 더 도움이 된다 하는 입장이 되는 거지요. 창의적으로 한번 해 봅시다.

○소위원장 김종민 장부 보관업무 규정이 상법에 10년으로 돼 있는 것을 가상자산 장부는 15년으로 한다 이게 이해가 안 가는데, 나는?

윤주경 위원 다르잖아. 다르니까 다르게 하면 되는 것 아니에요?

○박재호 위원 다른 자산하고 다르니까.

○소위원장 김종민 금융위는 이게 이해가 가나요? 괜찮아요? 그러니까 오기형 위원이 제기한 것은 10년, 15년 이게 아니고 보관 업무가 상법으로 제너럴하게 돼 있는 것을 이것만 특별하게 15년으로 해야 될 유가 뭐냐 이게 문제 제기인데 그건 좀 일리가 있지 않을까요?

○금융위원회금융혁신기획단장 박민우 그 말씀 입법정책적인 판단일 것 같은데요. 지금 박재호 위원님께서 말씀하신 대로 기본적으로 가상자산의 경우에는 굉장히 탈세의 우려라든가 불법자금 거래와 관련해서 거래기록을 좀 더 장기 보관할 필요가 있다라고 하는 취지에서 그렇게 하는 걸로 저는 이해를 하고 있습니다.

○소위원장 김종민 좋습니다.

하여간 이 의견에 위원님들 다른 이견 없으세요?

（「없습니다」 하는 위원 있음）

○오기형 위원 그건 비용 부담 문제니까요. 만약 사회적으로 비

용 부담을 사업하는 분들이 감당할 수 있는 거다, 그러면 연장 가능하다 이렇게.

　○소위원장 김종민　그런데 그건 지금 우리가 빨리 판단을 해야지. 오늘 이것을 통과시켜야 되는데.

　○이용우 위원　제가 조금 말씀을 드리면 지금 표에 보면 현행 상법 33조의 상인 같은 경우에는 서류를 보관하는 게 굉장히 물리적인, 법상 10년은 굉장히 클 수가 있습니다.

　그런데 지금 박용진 위원도 그렇고 저도 아는 게, 금융회사의 경우에 있어서는 장부 보관이라고 하는 건 요즘 거의 다 전산이고요. 그렇기 때문에 비용이라고 하는 게 추가적으로 들지 않고 현재 금융회사들도 대부분 10년 이상 다 보관을 하고 있습니다. 왜냐하면 자기들이 소송을 당했을 때, 고객하고 소송을 당했을 때 스스로 자기를 디펜스하기 위해서 법적인 제척기간 동안 보관하고 있기 때문에 금융회사 쪽이나 이쪽은 크게 부담되지 않는다고 생각합니다.

　○소위원장 김종민　좋습니다.

　그러면 15년으로 일단 하고, 혹시라도 오기형 위원이 그 취지에서 또 중요 근거가 발견이 되면 나중에 법사위 때 가서 얘기를 한번 해 보십시오.

　○오기형 위원　알겠습니다.

(2023. 4. 25. 제405회 정무위원회 제1차 법안심사제1소위원회 中)"

가상자산이 일반 자산과는 다른 특수성을 가지고 있고, 탈세나 탈법적인 목적으로 활용된 가능성 및 요즘 금융회사는 물리적인 장부보다는 전산으로 보관하는 점 등을 고려해서 보존기간을 15년으로 정하였습니다. 전산으로 보관한다고 해서 비용 부담이 무조건 적다고 할 수는 없지만, 가상자산의 특수성을 많이 고려한 입법정책적 판단입니다.

제3장   불공정거래의 규제

1. 불공정거래행위 등 금지
2. 가상자산에 관한 임의적 입·출금 차단 금지
3. 이상거래에 대한 감시

제3장 불공정거래의 규제

제3장은 미공개중요정보 이용행위, 시세조종행위, 부정래행위 등을 가상자산 거래의 불공정거래행위로 규정하고, 이를 위반할 경우 손해배상책임을 부담하게 하면서, 이용자의 가상자산에 대한 임의적 입출금 차단을 금지하고, 가상자산사업자로 하여금 가상자산 시장의 이상거래를 상시 감시하여 적절한 조치를 취하고 금융당국에 이를 통보할 것을 규정합니다.

1. 불공정거래행위 등 금지

제10조(불공정거래행위 등 금지) ① 다음 각 호의 어느 하나에 해당하는 자는 가상자산에 관한 미공개중요정보(이용자의 투자판단에 중대한 영향을 미칠 수 있는 정보로서 대통령령으로 정하는 방법에 따라 불특정 다수인이 알 수 있도록 공개되기 전의 것을 말한다. 이하 같다)를 해당 가상자산의 매매, 그 밖의 거래에 이용하거나 타인에게 이용하게 하여서는 아니 된다.

1. 가상자산사업자, 가상자산을 발행하는 자(법인인 경우를 포함한다. 이하 이 조에서 같다) 및 그 임직원·대리인으로서 그 직무와 관련하여 미공개중요정보를 알게 된 자
2. 제1호의 자가 법인인 경우 주요주주(「금융회사의 지배구조에 관한 법률」 제2조제6호나목에 따른 주요주주를 말한다. 이 경우 "금융회사"는 "법인"으로 본다)로서 그 권리를 행사

하는 과정에서 미공개중요정보를 알게 된 자

3. 가상자산사업자 또는 가상자산을 발행하는 자에 대하여 법령에 따른 허가·인가·지도·감독, 그 밖의 권한을 가지는 자로서 그 권한을 행사하는 과정에서 미공개중요정보를 알게 된 자

4. 가상자산사업자 또는 가상자산을 발행하는 자와 계약을 체결하고 있거나 체결을 교섭하고 있는 자로서 그 계약을 체결·교섭 또는 이행하는 과정에서 미공개중요정보를 알게 된 자

5. 제2호부터 제4호까지의 어느 하나에 해당하는 자의 대리인(이에 해당하는 자가 법인인 경우에는 그 임직원 및 대리인을 포함한다)·사용인, 그 밖의 종업원(제2호부터 제4호까지의 어느 하나에 해당하는 자가 법인인 경우에는 그 임직원 및 대리인)으로서 그 직무와 관련하여 미공개중요정보를 알게 된 자

6. 제1호부터 제5호까지의 어느 하나에 해당하는 자(제1호부터 제5호까지의 어느 하나의 자에 해당하지 아니하게 된 날부터 1년이 경과하지 아니한 자를 포함한다)로부터 미공개중요정보를 받은 자

7. 그 밖에 이에 준하는 자로서 대통령령으로 정하는 자

불공정거래행위 등 금지와 관련하여서는 제1항부터 제5항까지는 금지하는 유형을, 제6항에서는 손해배상책임을 각 규정하였습니다.

먼저, 제1항은 불공정거래행위로서 미공개 중요정보 이용행위에 대한 규정입니다. 가상자산에 관한 미공개중요정보를 이용하거나 타인에게 이용하게 하는 것을 금지하고 있습니다. 미공개중요정보란, 이용자의 투자판단에 중대한 영향을 미칠 수 있는 정보로서 대통령령으로 정하는 방법에 따라 불특정 다수인이 알 수 있도록 공개되기 전의 것을 말합니다. 주식시장에서 내부정보를 이용하여 거

래하는 것을 금지하는 것과 같은 유형입니다. 가상자산사업자, 가상자산을 발행하는 자 및 그 임직원, 대리인으로서 그 직무와 관련하여 미공개중요정보를 알게 된 자, 주요주주로서 그 권리를 행사하는 과정에서 미공개중요정보를 알게 된 자, 가상자산사업자 또는 가상자산을 발행하는 자와 계약을 체결하고 있거나 체결을 교섭하고 있는자로서 그 계약을 체결·교섭 또는 이행하는 과정에서 미공개중요정보를 알게 된 자 등이 여기에 포함되어 있습니다. 제1호부터 제6호까지 규정된 것에 더하여 제7호에서는 대통령령으로 정하는 자라고 추가적으로 규정할 여지를 넘겨 두었습니다.

간략하게, 가상자산 이용자 외에 가상자산과 관련하여 사업을 하고 있거나 발행하거나 관련 업에 직·간접적으로 종사하는 사람들은 전부 해당한다고 보면 될 것입니다.

제10조(불공정거래행위 등 금지) ② 누구든지 가상자산의 매매에 관하여 그 매매가 성황을 이루고 있는 듯이 잘못 알게 하거나, 그 밖에 타인에게 그릇된 판단을 하게 할 목적으로 다음 각 호의 어느 하나에 해당하는 행위를 하여서는 아니 된다.
1. 자기가 매도하는 것과 같은 시기에 그와 같은 가격으로 타인이 가상자산을 매수할 것을 사전에 그 자와 서로 짠 후 매매를 하는 행위
2. 자기가 매수하는 것과 같은 시기에 그와 같은 가격으로 타인이 가상자산을 매도할 것을 사전에 그 자와 서로 짠 후 매매를 하는 행위
3. 가상자산의 매매를 할 때 그 권리의 이전을 목적으로 하지

아니하는 거짓으로 꾸민 매매를 하는 행위

4. 제1호부터 제3호까지의 행위를 위탁하거나 수탁하는 행위

③ 누구든지 가상자산의 매매를 유인할 목적으로 가상자산의 매매가 성황을 이루고 있는 듯이 잘못 알게 하거나 그 시세를 변동 또는 고정시키는 매매 또는 그 위탁이나 수탁을 하는 행위를 하여서는 아니 된다.

④ 누구든지 가상자산의 매매, 그 밖의 거래와 관련하여 다음 각 호의 행위를 하여서는 아니 된다.

1. 부정한 수단, 계획 또는 기교를 사용하는 행위

2. 중요사항에 관하여 거짓의 기재 또는 표시를 하거나 타인에게 오해를 유발시키지 아니하기 위하여 필요한 중요사항의 기재 또는 표시가 누락된 문서, 그 밖의 기재 또는 표시를 사용하여 금전, 그 밖의 재산상의 이익을 얻고자 하는 행위

3. 가상자산의 매매, 그 밖의 거래를 유인할 목적으로 거짓의 시세를 이용하는 행위

4. 제1호부터 제3호까지의 행위를 위탁하거나 수탁하는 행위

다음으로, 제2항부터 제4항은 '누구든지'라고 규정하여 제1항과 다르게 모두가 수범자에 해당합니다.

제2항과 제3항은 불공정거래행위로서 시세조종행위를 규정하고 있습니다. 제2항에서는 누구든지 가상자산의 매매에 관하여 그 매매가 성황을 이루고 있는 듯이 잘못 알게 하거나, 그 밖에 타인에게 그릇된 판단을 하게 할 목적으로, 자기가 매도하는 것과 같은 시기에 그와 같은 가격으로 타인이 가상자산을 매수할 것을 사전에 그 자와 서로 짠 후 매매를 하는 행위 또는 자기가 매수하는 것과 같은 시기

에 그와 같은 가격으로 타인이 가상자산을 매도할 것을 사전에 그 자와 서로 짠 후 매매를 하는 행위, 가상자산의 매매를 할 때 그 권리의 이전을 목적으로 하지 아니하는 거짓으로 꾸민 매매를 하는 행위, 위 행위들을 위탁하거나 수탁하는 행위를 금지하고 있습니다. 제3항에서는 가상자산의 매매를 유인할 목적으로 가상자산의 매매가 성황을 이루고 있는 듯이 잘못 알게 하거나 그 시세를 변동 또는 고정시키는 매매 또는 그 위탁이나 수탁을 하는 행위를 금지하고 있습니다. 특히, 제2항과 제3항은 초과구성요건으로 '목적으로'라는 주관적 요소가 추가되어 있음을 유의해야 합니다.

반면에, 제4항에서는 가상자산의 매매, 그 밖의 거래와 관련하여, 부정한 수단, 계획 또는 기교를 사용하는 행위, 중요사항에 관하여 거짓의 기재 또는 표시를 하거나 타인에게 오해를 유발시키지 아니하기 위하여 필요한 중요사항의 기재 또는 표시가 누락된 문서, 그 밖의 기재 또는 표시를 사용하여 금전, 그 밖의 재산상의 이익을 얻고자 하는 행위, 가상자산의 매매, 그 밖의 거래를 유인할 목적으로 거짓의 시세를 이용하는 행위, 위 행위를 위탁하거나 수탁하는 행위를 금지하고 있습니다. 제4항에서는 제2항, 제3항과 달리 목적에 대한 규정이 없습니다.

제10조(불공정거래행위 등 금지) ⑤ 가상자산사업자는 다음 각 호의 어느 하나에 해당하는 경우 외에는 자기 또는 대통령령으로 정하는 특수한 관계에 있는 자(이하 "특수관계인"이라 한다)가 발행한 가상자산의 매매, 그 밖의 거래를 하여서는 아니 된다.

---

1. 특정 재화나 서비스의 지급수단으로 발행된 가상자산으로서 가상자산사업자가 이용자에게 약속한 특정 재화나 서비스를 제공하고, 그 반대급부로 가상자산을 취득하는 경우
2. 가상자산의 특성으로 인하여 가상자산사업자가 불가피하게 가상자산을 취득하는 경우로서 불공정거래행위의 방지 또는 이용자와의 이해상충 방지를 위하여 대통령령으로 정하는 절차와 방법을 따르는 경우

제5항은 가상자산사업가의 특수관계인과의 거래를 금지하는 규정입니다. 가상자산사업가는 특정 재화나 서비스의 지급수단으로 발행된 가상자산으로서 가상자산사업자가 이용자에게 약속한 특정 재화나 서비스를 제공하고, 그 반대급부로 가상자산을 취득하는 경우 및 가상자산의 특성으로 인하여 가상자산사업자가 불가피하게 가상자산을 취득하는 경우로서 불공정거래행위의 방지 또는 이용자와의 이해상충 방지를 위하여 대통령령으로 정하는 절차와 방법을 따르는 경우 외에는 자기 또는 대통령령으로 정하는 특수한 관계에 있는 자가 발행한 가상자산의 매매, 그 밖의 거래를 하여서는 안됩니다.

제10조(불공정거래행위 등 금지) ⑥ 제1항부터 제5항까지를 위반한 자는 그 위반행위로 인하여 이용자가 그 가상자산의 매매, 그 밖의 거래와 관련하여 입은 손해를 배상할 책임이 있다.

제6항은 손해배상책임 규정입니다. 불공정거래행위 등 금지를 위

반한 자는 그 위반행위로 인하여 이용자가 그 가장자산의 매매, 그 밖의 거래와 관련하여 입은 손해를 배상할 책임이 있습니다. 가령, 시세조종행위를 했다면, 그와 관련한 손해를 배상해야하므로, 막대한 손해배상액이 책정될 수 있겠습니다. 이와 관련하여서는 국회에서도 이견이 없었습니다.

"〇수석전문위원 고상근 불공정거래행위의 규제 관련해서 먼저 손해배상책임입니다.

불공정거래행위에 대한 손해배상책임을 규정할지 여부에 대해서 논의를 해 주시면 되겠습니다.

〇금융위원회부위원장 김소영 이용자 보호 강화를 위해 가상자산 불공정거래행위에 대한 형사제재 외의 손해배상책임을 규정하는 데 동의합니다.

〇소위원장 김종민 의견 얘기해 주세요.

〇오기형 위원 이건 일반적인 조항입니다. 손해배상책임 이런 걸 명백하게 해 보자 이런 취지니까.

〇유의동 위원 이거에 대해서 반대 의견이 있을 수 있을까?

〇소위원장 김종민 넘어가겠습니다.

(2023. 4. 25. 제405회 정무위원회 제1차 법안심사제1소위원회 中)"

손해배상책임과 관련해서 집단소송을 도입할지 여부도 논의되었습니다. 아무래도 불공정거래행위가 발생할 경우, 수 많은 가상자산

이용자들이 피해를 입을 것이므로, 이와 관련된 집단소송제도를 규정하려고 했었습니다.

"○**수석전문위원 고상근** 불공정거래행위 손해배상책에 대한 집단소송 도입 여부입니다. 오기형 위원님께서 문제 제기해 주셨고요. 조문까지도 말씀을 해 주셨습니다.

○**금융위원회부위원장 김소영** 이용자 보호 강화를 위한 조치가 필요하다는 것에 공감합니다. 다만 집단소송은 법무부 소관 사항이라는 점에서 법무부 의견을 수렴하여 추진함이 바람직합니다.

○**오기형 위원** 이건 그러면 제가 약간 보충 설명만 좀 드리겠습니다.

증권 관련 집단소송법이 도입돼 있습니다. 일반적 집단소송법은 아니고요, 일바적 집단소송법 도입에 대해서는 좀 논란이 있었고. 이 사안 자체가 이제 증권 관련된 제도의 규제들이 좀 들어오기 때문에 절차법적으로 증권 관련 집단소송법의 제도를 준용하는 형태로서 분쟁이 있으면 여러 다수 피해자가 있으니까 하나의 절차를 추가해 보자 이런 의견입니다.

○**이용우 위원** 법무부 의견은 뭐예요?

○**수석전문위원 고상근** 다른 사항에 대해서는 의견을 보내왔는데 이 건에 대해서는 의견을 아직 안 보내오고 있습니다.

○**박재호 위원** 증권 관련 집단소송이 들어가 있으니까 이거는 해도 괜찮을 것 같은데, 일단 넣어 가지고 법사위에 가서 조문 정리하도록 하지요.

○소위원장 김종민　집단소송 확대하는 게 원래 법무부 부론이었는데 그게 이제 바뀌었나 보지요?

이용우 위원님.

○이용우 위원　게다가 가상자산거래라고 하는 게 증권거래보다 더 상당히 조정이나 여러 가지 불공정거래가 많이 있는 상황이고 또 잘 모르는 피해자가 상당히 발생할 수 있는 소지가 있기 때문에 이런 조항을 두는 건 크게 무리가 아니라고 생각합니다.

○소위원장 김종민　그러면 일단 넘어가겠습니다. 그리고 이 문제는 혹시라도 법무부 의견이 오면 위원님들한테 좀 안내해 주세요

○수석전문위원 고상근　예.

(2023. 4. 25. 제405회 정무위원회 제1차 법안심사제1소위원회 中)”

그러나 우선 가상자산이용자보호법을 최대한 빨리 통과시키는 것이 목적이었기 때문에 집단소송제도의 도입에 대해서는 추후에 검토하는 것으로 정리되었습니다.

“○박형수 위원　금융위원회 부위원장님, 지금 전문위원 보고서에 보면 가상자산 거래과정에서 피해 발생한 경우의 집단소송법 준용 손해배상청구에서요. 법무부는 이 소송 요건을 포고라적으로 준용하는 것은 부적절하다 이런 의견을 제시했다 그러는데, 무슨 얘기냐 하면 ‘증권관련 집단소송법을 준용한다’ 이렇게 규정을 해 놓든지 조문을 특정하든지 증권고나련법 조문에 있는 내용을 가상

자산법에 옮겨서 규정을 하면 된다 이런 취지인 것 같은데 그런데 아예 조항 전체를 삭제해 버렸거든요.

이것은 증권 관련 범죄가 집단적인 범죄가 일어날 수 있고 그래서 이런 소송이 필요한 것처럼 가상자산인 경우에도 시세조종 이런 데 똑같은 문제가 생기거든요. 그러면 이 조항은 필요한 것 아닌가 생각이 드는데 아예 삭제를 해 버렸어요. 그 이유가 있는가요?

○금융위원회부위원장 김소영　저희가 가상자산법이 일단 굉장히 급한 상황이라서 빨리 진행을 하고요. 그런 부분은 집단소송법에서 추가로 검토를 하는 게 충분히 가능한 상황인 것 같습니다, 그 부분만 따로 해서요. 그래서 일단은 많은 국민들이 지금 사실 가상자산에 많이 피해를 보고 있는 상황이어서 가능하면 빨리 가상자산법을 진행시키고 그런 부분은 말씀드렸듯이 집단소송법에 추가로 금방 할 수 있는 게 아닌가 그런 생각을 하고 있습니다.

○박형수 위원　그러니까 신속한 법률 통과를 위해서 일단 이견이 있을 수 있는 부분은 삭제하고 빨리 통과시키고 나중에 보완을 하겠다 이런 취지인가요?

○금융위원회부위원장 김소영　예, 그렇습니다.

○박형수 위원　알겠습니다.

(2023. 6. 29. 제407회 법제사법위원회 제2차 中)"

2. 가상자산에 관한 임의적 입·출금 차단 금지

> **제11조(가상자산에 관한 임의적 입·출금 차단 금지)** ① 가상자산사업자는 이용자의 가상자산에 관한 입금 또는 출금을 대통령령으로 정하는 정당한 사유 없이 차단하여서는 아니 된다.
>
> ② 가상자산사업자가 이용자의 가상자산에 관한 입금 또는 출금을 차단하는 경우에는 그에 관한 사유를 미리 이용자에게 통지하고, 그 사실을 금융위원회에 즉시 보고하여야 한다.
>
> ③ 제1항을 위반한 자는 그 위반행위로 인하여 형성된 가격에 의하여 해당 가상자산에 관한 거래를 하거나 그 위탁을 한 자가 그 거래 또는 위탁으로 인하여 입은 손해에 대하여 배상할 책임을 진다.
>
> ④ 제3항에 따른 손해배상청구권은 청구권자가 제1항을 위반한 행위가 있었던 사실을 안 때부터 2년간 또는 그 행위가 있었던 때부터 5년간 이를 행사하지 아니한 경우에는 시효로 인하여 소멸한다.

이용자의 가상자산에 대한 임의적 입출금 차단을 금지하는 규정입니다. 가상자산거래소가 입출금 차단하는 경우도 있고, 코인 자체에 대해서 거래를 중지하는 경우도 있습니다. 입출금 차단을 하는 유형도 수없이 다양하고 그 기간도 일정하지도 않습니다. 이용자 입장에서는 입출금 차단과 관련하여 예상가능성이 없이 때문에 이는 이용자가 원하는 시기에 거래를 할 수 없어, 곧 재산상 손해로 이어지곤 합니다. 이이와 관련하여서도 민사소송도 많이 제기되곤 합니다. 가상자산사업가 입장에서는 거래소 운영과 자신의 이익을 위해서 해당 조치를 취하는데, 달리 이를 제재할 규정이 없었기 때문에 본 조항이 제정된 것입니다.

다만, 이 때에도 대통령령으로 정하는 정당한 사유가 있으면 입출금 차단이 가능합니다. 대규모 뱅크런 사태라든지 가상자산사업자의 귀책사유가 없는 상황 등을 정당한 사유로 규정할 것으로 예상됩니다.

만약에 위와 같은 정당한 사유로 입출금 차단을 하는 경우에는 그에 관한 사유를 미리 이용자에게 통지하고, 그 사실을 금융위원회에 즉시 보고하여야 합니다. 이용자에게 사전에 통지하여야 이용자 입장에서도 재산상 손해를 방지할 시간적 여유가 생기기에 이용자 보호를 위해서 사전 통지는 필수라 할 것입니다.

만약, 정당한 사유 없이 입출금 차단을 하는 경우에는 이로 인하여 형성된 가격에 의하여 해당 가상자산에 관한 거래를 하거나 그 위탁을 한 자가 그 거래 또는 위탁으로 인하여 입은 손해에 대하여 배상할 책임을 부담합니다. 이때, 손해배상청구권은 청구권자가 제1항을 위반한 행위가 있었던 사실을 안 때부터 2년간 또는 그 행위가 있었던 때부터 5년간 이를 행사하지 아니한 경우에는 시효로 인하여 소멸합니다. 본 조항에 따른 손해배상청구권의 소멸시효 기간이 일반적인 손해배상청구권에 비해 짧다는 것에 유의해야할 것입니다. 아무래도 가상자산 거래에 있어서 법적 안정성을 보장하기 위함으로 생각됩니다.

3. 이상거래에 대한 감시

제12조(이상거래에 대한 감시) ① 가상자산시장을 개설·운영하는 가상자산사업자는 가상자산의 가격이나 거래량이 비정상적으로 변동하는 거래 등 대통령령으로 정하는 이상거래(이하 "이상거래"라 한다)를 상시 감시하고 이용자 보호 및 건전한 거래질서 유지를 위하여 금융위원회가 정하는 바에 따라 적절한 조치를 취하여야 한다.

② 제1항의 가상자산사업자는 제1항에 따른 업무를 수행하면서 제10조를 위반한 사항이 있다고 의심되는 경우에는 지체 없이 금융위원회 및 금융감독원장(「금융위원회의 설치 등에 관한 법률」 제24조제1항에 따라 설립된 금융감독원의 원장을 말한다. 이하 같다)에게 통보하여야 한다. 다만, 제10조를 위반한 혐의가 충분히 증명된 경우 등 금융위원회가 정하여 고시하는 경우에는 지체 없이 수사기관에 신고하고 그 사실을 금융위원회 및 금융감독원장에게 보고하여야 한다.

가상자산사업자는 가상자산시장의 이상거래를 상시 감시하여 적절한 조치를 취하고 금융당국에 이를 통보하여야 합니다.

여기서의 이상거래는 가상자산의 가격이나 거래량이 비정상적으로 변동하는 거래 등 대통령령으로 정하는 이상거래를 의미합니다. 가상자산시장을 개설·운영하는 가상자산사업자는 이러한 이상거래를 상시 감시하고 이용자 보호 및 건전한 거래질서 유지를 위하여 금융위원회가 정하는 바에 따라 적절한 조치를 취하여야 합니다. 주식시장으로 말하면, 주가가 급등하거나 급락했을 때 발동하는 서

킷브레이커나 사이드카 같은 조치를 생각할 수 있습니다.

위와 같이 이상거래를 감시하는 가상자산사업자가 제10조의 불공정거래 등 금지 위반한 사항이 있다고 의심되는 경우에는 지체없이 금융위원회 및 금융감독원장에게 통보하여야 합니다. 다만, 제10조를 위반한 혐의가 충분히 증명된 경우 등 금융위원회가 정하여 고시하는 경우에는 지체 없이 수사기관에 신고하고 그 사실을 금융위원회 및 금융감독원장에게 보고하여야 합니다.

결국, 가상자산과 관련하여서 금융위원회와 금융감독원장이 감독하도록 하는 것입니다. 가상자산사업자가 금융기관으로 볼 수 있을까요? 암호화폐 거래만 생각한다면 주식시장과 비슷한 형태를 보이니까 금융기관으로 볼 수도 있을 것 같습니다. 다만, 암호화폐는 가상자산이지만, 가상자산이 암호화폐라고 할 수 있을까요? 이에 대해 국회에서 가산자산사업자가 금융기관이 아니므로 금융위원회나 금융감독원이 감독하는 것은 적절하지 않다는 이유로 논쟁이 있었다만, 우선은 감독하는 것으로 일단락되었습니다.

"○윤한홍 위원   금융위 부위원장님. 여기서 금융감독원이 들어간다 빠진다가 굉장히 중요한 포인트입니까? 윤창현 의원안을 보면 가상자산사업자는 금융기관이 아니기 때문에 금융감독원은 적절치 않다 뭐 이런 표현이 있어 갖고 이게 이해가 잘 안되네요.

한번 설명 좀 해 봐요.

○금융위원회금융혁신기획단장 박민우   현재 가상자산 이용자 보호법의 책임 주체는 금융위로 당연히 되어 있고요 금융위가 업

무를 금감원장한테 위탁할 수 있다라고 하는 규정이 있습니다. 그것에 따라서 업무 범위를 위탁을 할 수 있게 되어 있습니다. 그것과 별도로, 기관에 통보하는 그것 외에 금감원장의 검사·감독 권한을 별도로 조항으로 넣어 줘야 되는 것 아니냐라고 하는 의견이 제기되는 것으로 알고 있습니다.

○윤한홍 위원 저는 그게 맞지 않나 싶은데요. 이것을 그런 법 형식을 따질 필요가 없이……

○이용우 위원 그런데 그 조항은 윤창현 의원님처럼 별도의 위원회를 둘 경우에 있어 가지고 이게 같이 맞물려 가는 거거든요. 뒤에 별도 위원회를 둘 거냐 말 거냐의 문제를 가지고……

○윤한홍 위원 맞습니다. 저는 정부 의견을 종합적으로 정리를 해야 된다고 봐요. 왜냐하면 이게 법이 통과되면 상당한 업무량이기 때문에 직원들 정원이라든지 조직이 필요하지 않아요?

부위원장님, 안 그렇습니까?

○금융위원회부위원장 김소영 필요합니다.

○윤한홍 위원 그렇다면 그것을 금융위원회와 금감원하고, 뭐 이런 관련해서 공무원 정원이나 이런 부분들이 따르기 때문에 금감원하고 같이 봐야지요. 금감원은 빼고 금융위원회 잔뜩 만들어 놓고 '위탁 줄게' 이것 쉽지 않은 발상 같아서 내가 하는 얘기예요.

○윤창현 위원 금감원이 처음부터 이 법으로 해서 들어와 버리면 가상자산업자가 사실상 완전히 금융기관처럼 돼 버려 가지고, 가상자산업을 일반 금융업으로 동일시하는 것을 분리시켜서 차별화시키는 부분을 여기다 조금 집어넣은 거거든요. 금융이다라고

이렇게 정하지 말자라는 의미입니다.

○윤한홍 위원   그런데 그 형식만 볼 게 아니라, 사실은 우리가 주목적이 투명하게 하자는 것하고 이용자 보호가 목적이거든요. 그렇지 않습니까?

○윤창현 위원   그런데 금융기관으로 이걸 동일시해 버리면 너무 또 세지요.

○윤한홍 위원   실질적으로 금융기관이 돼 버리잖아, 지금.

○윤창현 위원   그래도 겉으로는 조금이라도 금융기관과 차별화된 조치, 금융과 차별화된 걸로 이것을 정리를 해서 약간의 거리두기를 하는 그런 겁니다.

○윤한홍 위원   이해는 됩니다. 말씀의 취지는 논리는 되는데 실질적인 부분하고 좀 차이가 나기 때문에 그 부분은 정부안을 만들어야 될 거예요. 조직을 어디에 만들어 가지고 어떻게 일을 해 나갈 건지를 만들어야 될 거예요.

○윤창현 위원   어차피 금융위가 금감원에 위탁을 할 겁니다, 디지털자산이든지.

○이용우 위원   위탁할 거고, 사실은 어느 한 과나 파트가 생기고 거기에 따라서 인력이라든지 운영을 하면서 진짜 금융기관처럼 인허가라든지 여러 가지 따르게 되면 또 별도의 조직이나 정부조직이 필요한 상황이 발생할 수 있지만 지금 상황에서는 위탁을 하고 관리 감독하는 게 아닌가만, 지금 그렇게 돼 있는 거예요.

○윤창현 위원   그렇지요. 그래서 약간만 거리두기를 시켜 주자는 거지. 감독하지 말자는 게 아니에요.

○**윤한홍 위원** 처음부터 금융기관으로 인정하고 법을 만드는 거지, 금융기관이 아니라고 해 버리면 우리 여기 앉아 있을 이유가 없잖아요? 금융을 다루는 여기서 우리가 금융기관이 아닌 걸 왜 다루고 있어?

○**윤창현 위원** 그런데 가상자산 업계에서는 조금 금융하고, 일본이 그렇게 했는데……

○**윤한홍 위원** 윤 위원님은 하도 전문가라서 그렇게 말씀하시는데 저는, 금융기관이 아닌 걸 우리가 여기서 왜 하지요?

○**소위원장 김종민** 애매하니까 다루는 거지.

○**윤한홍 위원** 바로 내가 원론적인 질문 들어가는 겁니다. 금융기관이 아닌 걸 왜 우리가 여기서 하지요? 금융위원회가 금융기관이 아닌 걸 왜 다루지요?

내가 질문하는 데에만 답변해 보세요.

○**금융위원회금융혁신기획단장 박민우** 금융소비자 보호와 금융시장의 안정을……

○**윤한홍 위원** 그러니까 금융기관이라고, 내 말은.

○**금융위원회금융혁신기획단장 박민우** 금융소비자이면서 가상자산 이용자인 것입니다.

○**윤한홍 위원** 그래서 이게 새로운 사업 파트가 들어오니까, 금융기관도 아닌 것을 왜 금융위원회가 하려고 달려듭니까? 당당하게 이게 금융기관이니까 우리가 하겠다 이렇게 가야 맞지 않아요? 나는 그렇게 생각해요.

○**금융위원회금융혁신기획단장 박민우** 지금 세계에서 가상자산

을 금융상품으로 인정하고 있는 나라는 거의 없습니다.

○**윤한홍 위원**　그러면 이거 누가 해야 되지요. 금융위원회가 안 하고? 누가 하지요, 금융기관도 아닌데?

○**금융위원회금융혁신기획단장 박민우**　그래서 여태까지 굉장히 입법이 지연됐고 그 주체에 대해서 이견이 많이 있었던 거고요. 그렇지만 그것이 결과적으로 금융소비자와 금융시장에 영향을 미치기 때문에……

○**윤한홍 위원**　그러니까. 금융소비자라고 이야기를 하면서도, 참 답답하다. 너무 그렇게 형식논리에 메이면 안 된다 이거예요.

○**오기형 위원**　하여간 입법기술적으로 좀 애매한 건 있는 것 같습니다. 그걸 전제로 하고, 현재는 금융위·금융감독원의 구조가 복잡해서 발생하는 파생 문제 같습니다.

○**윤한홍 위원**　좋습니다. 다음에 또 이부분에 대해서 좀 더 깊이 있는 자료를 주세요.

○**소위원장 김종민**　그게 정리가 안 된 채로 금융위로 넘어온 거에요, 그냥. 너무 따지지 마시고.

○**윤창현 위원**　너무 근본적인 문제이신 것 같은데.

○**오기형 위원**　이 주제는 넘어가시지요.

○**윤한홍 위원**　그러니까 금융위원회가 이 가상자산거래소를 금융기관이 아닌 것처럼 자꾸 강하게 이야기하면 안 된다 이 말이에요. 사실상 금융기관 아니냐 이렇게 표현하는 게 맞지.

○**소위원장 김종민**　그러면 넘어갈까요?

　(「넘어가시지요」 하는 위원 있음)

(2023. 3. 28. 제404회 정무위원회 제2차 법안심사제1소위원회 中)"

제4장 감독 및 처분 등

제4장 감독 및 처분 등

제4장은 가상자산사업자에 대한 금융당국의 감독·검사에 관한 사항과 불공정거래행위 등에 대한 조사·조치권한 및 통화신용정책의 수행, 금융안정 및 지급결제제도의 원활한 운영을 위해 필요한 경우 한국은행이 가상자산사업자에게 자료제출을 요구할 수 있도록 규정합니다.

1. 가상자산사업자의 감독·검사 등

> **제13조(가상자산사업자의 감독·검사 등)** ① 금융위원회는 가상자산사업자가 이 법 또는 이 법에 따른 명령이나 처분을 적절히 준수하는지 여부를 감독하고, 가상자산사업자의 업무와 재산상황에 관하여 검사할 수 있다.
>
> ② 금융위원회는 이용자 보호 및 건전한 거래질서 유지를 위하여 필요한 경우 가상자산사업자 또는 대통령령으로 정하는 이해관계자에게 다음 각 호의 사항에 관하여 필요한 조치를 명할 수 있다.
>
> 1. 이 법 또는 이 법에 따른 명령이나 처분을 적절히 준수하는지 파악하기 위한 자료제출에 관한 사항
> 2. 고유재산의 운용에 관한 사항
> 3. 이용자 재산의 보관·관리에 관한 사항
> 4. 거래질서 유지에 관한 사항
> 5. 영업방법에 관한 사항
> 6. 해산결의, 파산선고 등 영업중단 시 이용자 보호에 관한 사항

7. 기타 이용자 보호 및 건전한 거래질서 유지를 위하여 필요
한 사항으로서 대통령령으로 정하는 사항
③ 금융위원회는 제1항의 검사를 할 때 필요하다고 인정되는 경
우에는 가상자산사업자에게 업무 또는 재산에 관한 보고, 자료의
제출, 증인의 출석, 증언 및 의견의 진술을 요구할 수 있다.
④ 제1항에 따라 검사를 하는 자는 그 권한을 표시하는 증표
를 지니고 이를 관계자에게 내보여야 한다.
⑤ 금융위원회는 검사의 방법·절차, 검사결과에 대한 조치기
준, 그 밖의 검사업무와 관련하여 필요한 사항을 정하여 고시
할 수 있다.

가상자산사업자에 대한 감독·검사에 대한 규정입니다. 금융위원회
소관으로 규정하였습니다. 금융위원회는 가상자산사업자가 이 법
또는 이 법에 따른 명령이나 처분을 적절히 준수하는지 여부를 감
독하고, 가상자산사업자의 업무와 재산상황에 관하여 검사할 수 있
습니다.

금융위원회는 이용자 보호 및 건전한 거래질서 유지를 위하여 필
요한 경우 가상자산사업자 또는 대통령령으로 정하는 이해관계자에
게 필요한 조치를 명할 수 있습니다. 이 법 또는 이 법에 따른 명
령이나 처분을 적절히 준수하는지 파악하기 위한 자료제출에 관한
사항, 고유재산의 운용에 관한 사항, 이용자 재산의 보관관리에 관
한 사항, 거래질서 유지에 관한 사항 등 가상자산 이용자 보호 및
건전한 거래질서 유지를 위하여 필요한 사항에 대한 조치명령권입
니다.

또한, 금융위원회의 검사와 관련하여서도 금융위원회는 필요하다고 인정되는 경우에 가상자산사업자에게 업무 또는 재산에 관한 보고, 자료의 제출, 증인의 출석, 증언 및 의견의 진술을 요구할 수 있습니다. 검사를 할 때에는 그 권한을 표시하는 증표를 지니고 이를 관계자에게 내보여야 하는데, 현장검사를 전제로 한 것이라고 볼 수 있습니다. 그 외 검사업무와 관련한 사항을 고시로 정할 수 있도록 하였습니다.

"◯수석전문위원 고상근 다음, 22쪽 가상자산사업자에 대한 검사 관련입니다.

검사 권한의 주체에 금융감독원을 법률에 직접 명시할지 여부에 관한 사항입니다. 23쪽에 금융위원회와 금감원의 공동 의견이 있습니다.

◯금융위원회부위원장 김소영 가상자산사업자가 비금융기관이라는 점을 고려하여 검사조치 권한은 법률에 금융위원회로 명시하되 권한의 위탁을 통해 금융감독원에서 검사조치를 수행할 수 있도록 하자는 것입니다. 다만 가상자산사업자에 대한 검사조치 권한을 금융감독원에 위탁하는 것을 명확하게 하기 위해 부대의견을 추가하면 좋을 것 같습니다.

◯소위원장 김종민 의견 얘기해 주세요.

(「없습니다」 하는 위원 있음)

(2023. 4. 25. 제405회 정무위원회 제1차 법안심사제1소위원회 中)"

2. 불공정거래행위에 대한 조사·조치

제14조(불공정거래행위에 대한 조사·조치) ① 금융위원회는 이 법 또는 이 법에 따른 명령이나 처분을 위반한 사항이 있거나 이용자 보호 또는 건전한 거래질서를 위하여 필요하다고 인정되는 경우에는 위반혐의가 있는 자, 그 밖의 관계자에게 참고가 될 보고 또는 자료의 제출을 명하거나 금융감독원장에게 장부·서류, 그 밖의 물건을 조사하게 할 수 있다.

② 금융위원회는 제1항에 따른 조사를 위하여 위반행위의 혐의가 있는 자, 그 밖의 관계자에게 다음 각 호의 사항을 요구할 수 있다.

1. 조사사항에 관한 사실과 상황에 대한 진술서의 제출
2. 조사사항에 관한 진술을 위한 출석
3. 조사에 필요한 장부·서류, 그 밖의 물건의 제출

③ 금융위원회는 제1항에 따른 조사를 할 때 제10조를 위반한 사항의 조사에 필요하다고 인정되는 경우에는 다음 각 호의 조치를 할 수 있다.

1. 제2항제3호에 따라 제출된 장부·서류, 그 밖의 물건의 영치
2. 관계자의 사무소 또는 사업장에 대한 출입을 통한 업무·장부·서류, 그 밖의 물건의 조사

④ 금융위원회는 제1항에 따른 조사를 할 때 필요하다고 인정되는 경우에는 가상자산사업자에게 대통령령으로 정하는 방법에 따라 조사에 필요한 자료의 제출을 요구할 수 있다.

⑤ 제3항제2호에 따라 조사를 하는 자는 그 권한을 표시하는 증표를 지니고 이를 관계자에게 내보여야 한다.

⑥ 금융위원회는 관계자에 대한 조사실적·처리결과, 그 밖에 관계자의 위법행위를 예방하는 데 필요한 정보 및 자료를 대통령령으로 정하는 방법에 따라 공표할 수 있다.

⑦ 금융감독원장은 제1항에 따른 조사를 한 경우에는 그 결과를 금융위원회에 보고하여야 한다.

다음은 불공정거래행위 대한 조사·조치입니다. 금융위원회는 이 법 또는 이 법에 따른 명령이나 처분을 위반한 사항이 있거나 이용자 보호 또는 건전한 거래질서를 위하여 필요하다고 인정되는 경우에는 위반혐의가 있는 자, 그 밖의 관계자에게 참고가 될 보고 또는 자료의 제출을 명하거나 금융감독원장에게 장부·서류, 그 밖의 물건을 조사하게 할 수 있습니다. 이때, 금융위원회는 조사를 위하여 위반행위의 혐의가 있는 자, 그 밖의 관계자에게 조사사항에 관한 사실과 상황에 대한 진술서의 제출, 진술을 위한 출석, 조사에 필요한 장부·서류, 그 밖의 물건의 제출 등을 요구할 수 있습니다.

또한, 금융위원회가 불공정거래 행위 등 금지 규정과 관련된 위반사항의 조사에 필요하다고 인정되는 경우에는 제출된 장부·서류, 그 밖의 물건의 영치, 관계자의 사무소 또는 사업장에 대한 출입을 통한 업무·장부·서류, 그 밖의 물건의 조사 등의 조치를 할 수 있습니다. 이에 따라 조사를 하는 자는 그 권한을 표시하는 증표를 지니고 이를 관계자에게 제시하여야 합니다.

이에 더하여, 금융위원회는 조사실적·처리결과, 그 밖에 관계자의 위법행위를 예방하는 데 필요한 정보 및 자료를 대통령령으로 정하는 방법에 따라 공표할 수 있습니다. 또한, 금융위원회가 금융감독원장에게 조사를 하게 한 경우, 금융감독원장은 그 결과를 금융위원회에 보고하여야 합니다.

"○**수석전문위원 고상근**　27쪽입니다.

불공정거래행위와 관련해서 가상자산사업자의 이상거래 감시·조치 결과 및 불공정거래행위에 대하여 금융당국의 조사조치 권한을 규정할지 여부에 관한 내용입니다. 여기도 금감원과 금융위 공동 의견이 있습니다.

○**금융위원회부위원장 김소영**　불공정거래행위 등에 대한 금융당국의 조사조치 권한을 추가하는 데 동의합니다.

○**소위원장 김종민**　의견 없어요?

(「예」 하는 위원 있음)

넘어가겠습니다.

(2023. 4. 25. 제405회 정무위원회 제1차 법안심사제1소위원회 中)"

3. 가상자산사업자에 대한 조치

제15조(가상자산사업자에 대한 조치) ① 금융위원회는 가상자산
사업자 또는 대통령령으로 정하는 이해관계자가 이 법 또는 이
법에 따른 명령이나 처분을 위반한 사실을 발견하였을 때에는
다음 각 호의 어느 하나에 해당하는 조치를 할 수 있다.
1. 해당 위반행위의 시정명령
2. 경고
3. 주의
4. 영업의 전부 또는 일부의 정지
5. 수사기관에의 통보 또는 고발
② 금융위원회는 가상자산사업자의 임직원이 이 법 또는 이 법
에 따른 명령이나 처분을 위반한 사실을 발견하였을 때에는 위
반행위에 관련된 임직원에 대하여 다음 각 호의 구분에 따른
조치를 할 수 있다.
1. 임원에 대한 해임권고 또는 6개월 이내의 직무정지
2. 직원에 대한 면직요구 또는 정직요구
3. 임직원에 대한 주의, 경고 또는 문책요구
③ 금융위원회는 제2항에 따른 해임권고 또는 면직요구에 해
당하는 처분을 하고자 하는 경우에는 청문을 실시하여야 한다.

금융위원회는 가상자산사업자 또는 대통령령으로 정하는 이해관
계자가 이 법 또는 이 법에 따른 명령이나 처분을 위반한 사실을
발견하였을 때, 시정명령, 경고, 주의, 영업정지, 수사기관에의 통보
또는 고발 등의 조치를 할 수 있습니다.

가상자산사업자의 임직원이 이 법 또는 이 법에 따른 명령이나

처분을 위반한 사실을 발견하였을 때에는 해당 임원에 대한 해임권고 또는 6개월 이내의 직무정지, 직원에 대한 면직요구 또는 정직요구, 임직원에 대한 주의, 경고 또는 문책요구 등의 조치를 할 수 있습니다. 징계를 요구하는 셈이지요.

금융위원회는 위 임원에 대한 해임권고 또는 직원에 대한 면직요구를 할 경우에는 청문을 실시하여야 합니다. 강력한 수준의 처분이기 때문에 청문을 통해서 대상자의 방어권을 보장하고자 하는 취지입니다.

4. 한국은행의 자료제출 요구

> **제16조(한국은행의 자료제출 요구)** 한국은행은 금융통화위원회가 가상자산거래와 관련하여 통화신용정책의 수행, 금융안정 및 지급결제제도의 원활한 운영을 위하여 필요하다고 인정하는 경우에는 가상자산사업자에 대하여 자료제출을 요구할 수 있다. 이 경우 요구하는 자료는 해당 가상자산사업자의 업무부담을 충분히 고려하여 필요한 최소한의 범위로 한정하여야 한다.

다음은, 한국은행의 자료제출 요구입니다. 아무래도 암호화폐, 가상자산이 과열이 되어있다보니 금융시스템에 영향을 미치는 측면이 있기 때문에 통화신용정책의 수행 또는 금융안정을 위해 한국은행에게 자료제출 요구권을 부여한 것입니다. 이에 따라서 한국은행은 금융통화위원회가 가상자산거래와 관련하여 통화신용정책의 수행, 금융안정 및 지급결제제도의 원활한 운영을 위하여 필요하다고 인정하는 경우에는 가상자산사업자에 대하여 자료제출을 요구할 수 있습니다. 이때, 가상자산사업자의 업무부담을 충분히 고려하여 필요 최소한의 범위로 한정해야 합니다.

국회에서는 이 법에서 한국은행에 대해 규정하는 것이 적절한지 여부로 논의가 있었으나, 통화신용상의 영향을 미칠 수 있는 현실을 고려해서 반영하는 것으로 결론을 내렸습니다.

"○수석전문위원 고상근   자료 33쪽, 한국은행의 자료제출 요구권 관련 사항입니다.

금융위원회와 한국은행 입장 들으시겠습니다.

○**금융위원회부위원장 김소영** 통화신용정책 수행을 위해 한국은행의 가상자산사업자에 대한 자료제출 요구권을 부여할 필요가 있다는 데는 이견이 없습니다. 하지만 현재 법안은 1단계 법안으로 1단계 법안의 목적은 이용자 보호와 불공정거래 방지입니다. 그런 의미에서 2단계 법안에 올리거나 한국은행법에 올리는 게 더 바람직하다고 봅니다.

또 추가적으로 지급결제 관련해서는 현재 가상자산이 지급결제에 활용되고 있지는 않은 상태이므로 그러한 의견을 더욱 서포트한다고 생각을 합니다.

○**소위원장 김종민** 한국은행에서 누구 나와 있지요?

필요한 이유를 간략하게 한번 설명을 해 주세요.

○**한국은행부총재보 이종렬** 암호자산 시장이 여러 측면으로 해서 금융안정이라든지 현재 금융시스템에 미치는 영향이 크기 때문에, 그러니까 그 시장이 통화신용정책의 수행이나 금융안정 및 지급결제 제도에 미치는 영향 등을 파악하기 위해서 자료제출 요구권이 필요하다는 입장입니다.

○**소위원장 김종민** 오케이.

위원님들 의견 주세요.

○**김한규 위원** 제가 말씀드리면, 저는 이게 2단계하고 직접 관련이 없는 내용이라고 생각이 들어서요. 꼭 2단계까지 기다려야 될 필요는 없다고 생각이 들고, 가상자산 발행·유통 체계 그런 걸 규제하는 경우에만 통화신용정책에 문제가 되는 것은 아닌 것 같

고요. 중요한 것은 가상자산이 지금 또는 향후에 지급 수단으로 사용되는 경우가 조금이라도 있다면 이건 통화신용정책하고 관련이 있기 때문에 이건 저희 법안이 1단계냐 2단계냐 하고는 전혀 관계 없다라고 생각하고.

또 한국은행에서는 일부 가상자산이 지급 수단으로 사용되는 사례가 있다고 하고, 우리가 처음에 가상자산을 접했던 게 비트코인인데 그런 게 실제로 지급 수단으로 처음에는 시작이 됐고 앞으로도 그런 방식으로 지급 수단의 목적으로 발행되는 가상자산은 언제라도 있을 수 있는 거라서 그런 가상자산이 2단계 법안이 나온 이후에만 생기는 건 아니고 지금도 언제든지 발행할 수 있는 거라. 이거는 한국은행한테 제한적인 범위로만 자료제출을 요구할 수 있다고 하는 거라서 저는 1단계 법안하고도 충돌하지 않는다 이렇게 생각이 듭니다.

○소위원장 김종민 위원님들 의견 주세요.

○이용우 위원 1단계, 2단계 따질 필요 없이 사실 보면 현실적으로 통화정책에 영향을 주고 있습니다. 그리고 몇몇 은행 같은 경우에는 갓아자산을 취급해서 그 은행의 금융 안정성이나 이런 것에도 영향을 주고 있기 때문에 1단계, 2단계 나눌 것 없이 통화정책에 영향을 주는 한 자료제출 요구권은 줘야 된다고 생각합니다.

○박용진 위원 전자금융거래법의 관련 조문에 보면 41조에도 한국은행의 자료제출 요구권이 표시는 되어 있거든요, 법에? 이게 부족하기 때문에 말씀하시는 건가요?

○소위원장 김종민 이게 쟁점만 남은 거예요.

○**오기형 위원** 금융업이 아니라서.

○**박용진 위원** 규정을 따로 둬야 된다?

○**오기형 위원** 저도 지금 두 분 말씀하신 것에 공감을 하는데요. 지금 현재 가상자산이 지급결제 수단은 아니지만 사실상 비트코인이나 어떤 중미의 어느 특정 국가는 법정화폐처럼 쓴다고 하는 나라도 있고, 그다음에 한국이나 중국 사회에서도 가상자산을 매개로 한 통화의 이동들이 실제 현실적으로 이루어지고 있지 않습니까. 그게 자금세탁으로 이루어지고 있어서 경제에 미치는 영향은 있는 것 같다. 그런데 어떤 식으로든, 이게 1차, 2차 문제는 아닌 것 같아서 이 자체를 국가기관 간의 문제로 보지 마시고 자료 수집은 허용하는 게 어떤가 싶습니다.

○**윤창현 위원** 법제처 의견을 보면 '특별한 규정을 마련하고 있지 않으므로 자료제출 요구권 규정은 신중할 필요가 있다' 이런 의견이 있단 말이지요. 그래서 한국은행법 자체를 개정하는 것은 어떻습니까, 거기다가 집어넣는 것은?

○**한국은행부총재보 이종렬** 사실 다른 전자금융거래법이라든지 자본시장법에도 해당 업자가 수행해야 될 법률을 규정하고 있지 않습니까? 그러니까 해당 업자가 그 관련법을 보고 이해를 해야되는데 상관없는 한국은행법까지 다 고민해야 되는 그런 문제가 있지 않나 하는 생각이 들고요.

사실 이 문제는 우리가 서면으로 의견드린 바와 같이 만약에 1단계에서 빠진다고 하면 2단계에서는 꼭 좀 반영시켰으면 좋겠다는 그런 생각을 갖고 있습니다.

○소위원장 김종민 그런데 제가 보기에도 이것은 1, 2단계 문제는 아닌 것 같고, 법제처 의견이 지금 이런 판단인데 실제로 이게 운영되는 과정에서 이런 필요성들이 생길 여지가 있잖아요, 1, 2단계 따질 것 없이. 만약에 그럴 필요가 있다면 입법을 하는 게 저는 필요하다. 저도 그래서 이것을 추가로 한번 의견을 내봤는데 이것은 한번 판단을 해 보시지요. 지금 이게 부작용이 있을까요, 조항을 넣었을 때?

○금융위원회금융혁신기획단장 박민우 그것 관련해서 말씀드리겠습니다.

혁신국장입니다.

금융 관련법에서는 한국은행의 자료제출 요구권이 당연히 명시돼 있습니다. 그런데 모든 금융업자에 되어 있는 게 아니라 예를 들어서 지금 자본시장법 같은 경우에는 투자자가 예탁한 투자자예탁금으로 수행하는 자금이체업무, 그리고 국가 또는 공공단체 업무의 대리업무 이것에 한해서 금융투자업자에 대한 자료제출 요구권을 명시하고 있습니다.

즉 이 자료제출 요구권 자체가 지급결제와 관련된 내용에 한해서 요청을 하도록 하고 있는 것이기 때문에 현재의 가상자산 이용자 보호와 불공정거래 관련된 내용과 약간 좀 맞지 않는 부분이 있으니까 그거에 대해서는 한국은행법이라든가 다른 법에서 하는 게 맞지 않겠는가라고 하는 의견이엇고 법제처도 그런 입장에서 제시한 걸로 이해하고 있습니다.

○소위원장 김종민 윤한홍 위원님.

○**윤한홍 위원** 저는 이게 일면을 보면, 지금 가상자산이 일부에는 지급수단으로 이용되고 있지요, 일정 부분? 되는 나라가 있지요?

○**금융위원회금융혁신기획단장 박민우** 예.

○**윤한홍 위원** 그렇지요? 그런데 이게 사실 굉장히 빨리 가기 때문에 우리가 못 쫓아갈 수도 있거든요. 우리나라에서도 어느 순간에 갑자기 지급결제 수단이 될 수도 있다, 가상자산이. 그런 측면에서 보면 이게 넣는 것도 괜찮은 방법이다 나는 그렇게 생각을 하는데 또 이런 측면이 있어요.

이것은 한국은행에 한번 물어보겠습니다.

이게 규정됨으로 인해 가지고 역으로 오히려 지급결제 수단으로 또 인정되는 그런 효과는 없습니까? 아니, 그것은 질문이에요. 이게 규정됨으로 인해 가지고 일반 가상자산 투자하는 사람들이 '봐라, 이게 한국은행에서도 관리하기 시작했다, 지급결제 수단이 된다' 이렇게 역으로 치고 나올 가능성은 없는지. 내가 몰라서 줄민하는 거예요.

○**소위원장 김종민** 그 정도까지는……

○**윤한홍 위원** 그 정도까지는 아닐까요? 그 정도까지 아니라면 나는 넣는 건 반대를 안하지요.

○**소위원장 김종민** 지금 윤한홍 위원님이 얘기한 게 부작용이라고 볼 수 있는데 그 가능성은 별로 없을 것 같은데요.

○**박용진 위원** 금융위가 계속해서 이런 우려를 얘기하면서 지금까지 미뤄 왔던 거예요.

○윤한홍 위원 금융위원회가 의견을 한번 줘 보세요.

○금융위원회금융혁신기획단장 박민우 맞습니다. 저희가 바로 지금 윤한홍 위원님 말씀하신 그 취지에서 이것을 이 법에다가 넣는 것을 우려했었던 겁니다.

○박용진 위원 아니, 법 자체를 다루는 것도 반대했잖아.

○소위원장 김종민 아니, 그것은 한국은행법에도 마찬가지지.

○박재호 위원 이걸 인정은 안 하는데 하니까 서로 조직을, 나도 하자 너도 하자 이렇게 하면서 조직을 키우자 이렇게 하는 것 같아서 내가 보기에 참 안타깝지요.

○윤창현 위원 윤 위원님 말씀이 저는 굉장히 의미가 있다고 봅니다. 왜냐하면 그런 조항들이, 예를 들어 간호법도 그렇잖아요. 그건 어떤 기본적인 법이 제정이 되거나 그랬을 때 권리가 생기거든요. 이런 지급결제 문제도 저는 굉장히 가능성이 있다고 봅니다. 그런 걸 언급함으로 인해서 그런 권리 내지는 그런 범위가 확장이 되는 가능성.

○소위원장 김종민 이용우 위원님, 김한규 위원님.

○이용우 위원 저는 그 부분 윤한홍 위원님 말씀 충분히 이해합니다. 그런데 만약에 지급결제수단이 아니고 화폐가 아닌데 이 법의 규율을 받고 있는데 화폐라고 주장을 했다면 사기죄가 됩니다. 사기를 친 거지요, 그 업자가. 그렇기 때문에 불공정거래행위로 다스릴 수 있다고 생각하고요. 극단적인 가능성을 따진다면 그런 사람이 나올 수 잇습니다. 그런데 그건 사기라고 볼 수밖에 없고 불공정행위라고 생각하기 때문에 저는 1단계, 2단계 따질 게

없이 우리가 넣어 주는 게 좋지 않나 싶습니다.

○소위원장 김종민 김한규 위원님.

○김한규 위원 가상자산이 지급 수단으로 사용될지 여부를 저희가 막을 수는 없는 것 같고요. 그것은 시장에서 이용자들이 또 그 다음에 사업주들이 가상자산을 지급 수단으로 받아들여서 실제로 그렇게 사용하는 게 더 편하고 장점이 있느냐의 문제지, 저기가 법적으로 이것을 지급 수단으로 사용되는 게 안 된다라고 하면 저희가 막아야지요.

그런데 저희가 그런 걸 금지하지도 않는데 그게 많이 사용될 수 있는 우려를 갖고 이 규정을 막아야 된다라는 것은 저는 조금 이해하기 어렵고요.

실제로 우려되는 것은 최근에 모 금융회사에서 대출액의 상당 부분이 가상자산 투자에 사용이 됐고 그렇다고 하면 가상자산 가액 변동에 따라서 그 대출금액 상환 여부 또는 가계부채, 더 나아가서는 통화량까지도 다 영향을 미치는 그런 우려가 있습니다. 일이백억 수준이 아닌 상황인데, 금융위가 이것을 한국은행법에 두면 되지 않냐라고 그냥 간단히 얘기를 하는데 이건 저희가 국가 전체 측면에서 한국은행처럼 독립적인 통화정책을 수립하는 기관한테 권한을 충분히 줘야 나중에 그런 문제가 있어도 저희가 비난을 받지 않을 수 있는거지. 한국은행 입장에서 정무위에서 신속하게 논의를 안 해서, 또 기재위 자체에서는 이 규정만 갖고 논의하기도 어렵고 이 분야에 대해서 전문적인 논의를 못 한 그런 상임위라서 이것을 책임을 떠넘기면 안 되고 저희가 적극적으로 그런 우려까지 고려해서 이 기회에 논의하는 게 맞다고 생각합니다.

○소위원장 김종민 저도 비슷한 의견인데요. 제가 보기에는 우리가 1, 2단계를 너무…… 1, 2단계 누가 이렇게 정해 준 것도 없어요. 어디 교과서에 나오는 것도 없고. 지금 현재 상황의 시장상황 혹은 현실 양상을 볼 때 이 조항이 필요한지 이 판단만 하시면 될 것 같아요.

지금 루나테라가 시총이 59조가 증발됐다는 것 아닙니까? 지금 통화신용상에 영향을 미칠 수 있는 정도의 현실이 있는데 그런 것들을 우리가 1, 2단계를 구별해서 이게 맞니 안 맞니 하는 건 좀 안 맞을 것 같고 현재 필요성이 있는지에 대한 실용적인 판단 위주로 한번 판단을 해 보면 낫지 않을까.

그러면 일단 이것은 반영하는 걸로 하되 혹시라도 위원님 중에 절대로 안 되겠다 그러면 마무리 토론할 때 한 번 더……

(2023. 4. 25. 제405회 정무위원회 제1차 법안심사제1소위원회 中)"

5. 불공정거래행위에 대한 과징금

제17조(불공정거래행위에 대한 과징금) ① 금융위원회는 제10조 제1항부터 제4항까지를 위반한 자에 대하여 그 위반행위로 얻은 이익(미실현 이익을 포함한다. 이하 이 조에서 같다) 또는 이로 인하여 회피한 손실액의 2배에 상당하는 금액 이하의 과징금을 부과할 수 있다. 다만, 그 위반행위와 관련된 거래로 얻은 이익 또는 이로 인하여 회피한 손실액이 없거나 산정하기 곤란한 경우에는 40억원 이하의 과징금을 부과할 수 있다.

② 금융위원회는 제1항에 따라 과징금을 부과할 때 동일한 위반행위로 제19조에 따라 벌금을 부과받은 경우에는 제1항의 과징금 부과를 취소하거나 벌금에 상당하는 금액(몰수나 추징을 당한 경우 해당 금액을 포함한다)의 전부 또는 일부를 과징금에서 제외할 수 있다.

③ 검찰총장은 금융위원회가 제1항에 따라 과징금을 부과하기 위하여 수사 관련 자료를 요구하는 경우에는 필요하다고 인정되는 범위에서 이를 제공할 수 있다.

④ 과징금 부과에 대한 의견제출, 이의신청, 과징금납부기한의 연장 및 분할납부, 과징금의 징수 및 체납처분, 과오납금의 환급, 환급가산금 및 결손처분에 대해서는 「자본시장과 금융투자업에 관한 법률」 제431조부터 제434조까지 및 제434조의2부터 제434조의4까지를 준용한다.

⑤ 제1항부터 제4항까지 외에 과징금의 부과 절차 및 기준에 관하여 필요한 사항은 대통령령으로 정한다.

불공정거래행위에 대한 과징금 규정입니다. 제10조 제1항부터 제4항까지를 위반한 자에 대하여 그 위반행위로 얻은 이익(미실현 이익을 포함합니다) 또는 이로 인하여 회피한 손실액의 2배에 상당하는 금액 이하의 과징금을 부과할 수 있습니다. 다만, 그 위반행위와 관련된 거래로 얻은 이익 또는 이로 인하여 회피한 손실액이 없거나 산정하기 곤란한 경우에는 40억 원 이하의 과징금을 부과할 수 있습니다. 결국, 불공정거래행위를 한 경우, 이익 또는 손실액의 2배에 상당한 금액 이하의 과징금 또는 이익이나 손실액이 없거나 산정하기 곤란한 경우에는 40억 원 이하의 과징금이 부과됩니다.

"〇수석전문위원 고상근　불공정거래행위에 대해서 자본시장법에서처럼 과징금을 도입하자는 이야기입니다.

　〇금융위원회부위원장 김소영　불공정거래행위에 대한 과징금 도입 수용 가능합니다. 다만 불공정거래행위에 대한 과징금 제도 도입 시 이에 대한 조사권 외에 관련 조직·인력·예산 확충이 필요하므로 관련 부처 협의가 긴요합니다.

　〇소위원장 김종민　의견 얘기해 주세요.

　〇유의동 위원　그러면 이거 도입하게 되면, 이걸 도입을 해야 법적 근거가 있어서 조직도 만들고 예산도 세우는 거 아니에요? 그러니까 그게 먼저 선행된 후에 이거를 한다고 그러면 앞뒤가 안 맞는 것 같으니까 그냥 이건 찬성하시고 나중에…… 그게 금융위가 바라는 거일 것 같은데, 눈빛이? 그렇게 하시지요.

　　(웃음소리)

　〇소위원장 김종민　바라는 대로만 하지 말고 좀……

　〇유의동 위원　그러면 이거 뭐 어떻게 반대로 갈까요? 과징금 없애?

○소위원장 김종민   넘어가겠습니다.

다음.

(2023. 4. 25. 제405회 정무위원회 제1차 법안심사제1소위원회 中)"

금융위원회는 과징금을 부과할 때 동일한 위반행위로 제19조에 따라 벌금을 부과받은 경우에는 과징금 부과를 취소하거나 벌금에 상당하는 금액(몰수나 추징을 당한 경우 해당 금액을 포함합니다)의 전부 또는 일부를 과징금에서 제외할 수 있습니다. 사실, 과징금은 행정처분이고 벌금은 형사처벌이기 때문에 분리해서 접근해도 문제 없는데, 이를 고려해서 과징금을 조정할 수 있도록 규정하였습니다.

또한, 금융위원회가 과징금을 부과하기 위하여 수사 관련 자료를 요구할 수 있는데, 이때, 검찰총장은 필요하다고 인정되는 범위에서 이를 제공할 수 있습니다. 형사재판을 거친 수사기록은 검찰청에서 보관하고 있기 때문에 검찰총장에게 이를 요구할 수 있도록 한 것입니다. 경찰수사단계에서 혐의가 없어서 불송치결정된 것은 경찰에서 보관하고 있고, 이에 대해서는 혐의가 없으므로 과징금 부과를 위해 요구할 필요가 없어 이를 제외한 것으로 보입니다.

이외에 과징금 부과에 대한 의견제출, 이의신청, 과징금납부기한의 연장 및 분할납부, 과징금의 징수 및 체납처분, 과오납금의 환급, 환급가산금 및 결손처분 등과 관련해서는 자본시장법 규정은 준용토록 하였습니다.

6. 권한의 위탁

> **제18조(권한의 위탁)** 금융위원회는 이 법에 따른 업무의 일부를
> 대통령령으로 정하는 바에 따라 금융감독원장에게 위탁할 수
> 있다.

금융위원회는 이 법에 따른 업무의 일부를 대통령령으로 정하는 바에 따라 금융감독원장에게 위탁할 수 있습니다. 이 법에서도 금융위원회는 제14조에 따른 불공정거래행위에 대한 조사 등 금융감독원에게 할 수 있게 규정하였는데요. 다른 법률에서도 실질적으로 금융기관에 대해서는 금융위원회의 위탁 하에 금융감독원에서 관리·감독을 하기 때문에, 가산자산과 관련하여서도 이렇게 위탁 조항을 넣어둔 것입니다.

제5장 　벌칙

1. 벌칙
2. 몰수·추징
3. 양벌규정
4. 과태료

제 5 장　　벌 칙

1. 벌칙

제19조(벌칙) ① 다음 각 호의 어느 하나에 해당하는 자는 1년 이상의 유기징역 또는 그 위반행위로 얻은 이익 또는 회피한 손실액의 3배 이상 5배 이하에 상당하는 벌금에 처한다. 다만, 그 위반행위로 얻은 이익 또는 회피한 손실액이 없거나 산정하기 곤란한 경우 또는 그 위반행위로 얻은 이익 또는 회피한 손실액의 5배에 해당하는 금액이 5억원 이하인 경우에는 벌금의 상한액을 5억원으로 한다.

1. 제10조제1항을 위반하여 가상자산과 관련된 미공개중요정보를 해당 가산자산의 매매, 그 밖의 거래에 이용하거나 타인에게 이용하게 한 자

2. 제10조제2항을 위반하여 가상자산의 매매에 관하여 그 매매가 성황을 이루고 있는 듯이 잘못 알게 하거나, 그 밖에 타인에게 그릇된 판단을 하게 할 목적으로 같은 항 각 호의 어느 하나에 해당하는 행위를 한 자

3. 제10조제3항을 위반하여 가상자산의 매매를 유인할 목적으로 매매가 성황을 이루고 있는 듯이 잘못 알게 하거나 그 시세를 변동 또는 고정시키는 매매 또는 그 위탁이나 수탁을 하는 행위를 한 자

4. 가상자산의 매매, 그 밖의 거래와 관련하여 제10조제4항 각 호의 어느 하나에 해당하는 행위를 한 자

② 제10조제5항을 위반하여 자기 또는 특수관계인이 발행한 가상자산의 매매, 그 밖의 거래를 한 자는 10년 이하의 유기징역 또는 그 위반행위로 얻은 이익 또는 회피한 손실액의 3배

> 이상 5배 이하에 상당하는 벌금에 처한다. 다만, 그 위반행위로
> 얻은 이익 또는 회피한 손실액이 없거나 산정하기 곤란한 경우
> 또는 그 위반행위로 얻은 이익 또는 회피한 손실액의 5배에
> 해당하는 금액이 5억원 이하인 경우에는 벌금의 상한액을 5억
> 원으로 한다.

이제 벌칙규정입니다. 제10조 제1항 내지 제4항의 위반행위에 대한 벌칙은 제19조 제1항에서, 제10조 제5항의 위반행위에 대해서는 제19조 제2항에서 의율하고 있습니다.

제19조 제1항은 기본적으로 1년 이상의 유기징역 또는 그 위반행위로 얻은 이익 또는 회피한 손실액의 3배 이상 5배 이하에 상당하는 벌금에 처하도록 규정하고 있습니다. 1년 이상의 유기징역이므로 최대 25년의 유기징역에 처할 수 있습니다. 또한, 벌금도 특정액 이하 또는 이상을 규정하지 않고 이익 또는 손실액의 3배 이상 5배 이하로 규정한 특징이 있는데, 이는 통상 가상자산시장으로 얻을 수 있는 수익이 상당하다는 점을 고려한 것으로 보입니다.

다만, 이익 또는 손실액이 없거나 산정하기 곤란한 경우 또는 이익 또는 회피한 손실액의 5배에 해당하는 금액이 5억 원 이하인 경우에는 그 상한액은 5억 원이 됩니다. 예를 들어, 이익 또는 회피한 손실액이 8천만 원이라면, 제1항 본문에 의하면 벌금형은 2억4천만 원에서 4억 원 사이로 정해질 것인데, 이때, 5배에 해당하는 금액이 5억 원 이하이므로, 제1항 단서가 적용되어 벌금형의 상한액은 5억 원이 됩니다. 따라서, 4억 원 이하가 아니라 5억 원 이하

의 벌금형에 처해지게 됩니다.

제19조 제2항의 경우에는 10년 이하의 유기징역 또는 이익 또는 회피한 손실액의 3배 이상 5배 이하에 상당하는 벌금에 처하고 있고, 제1항과 같이, 5배 이상에 해당하는 금액이 5억 원 이하인 경우 그 상한액은 5억 원으로 규종하고 있습니다. 10년 이하의 유기징역이므로, 그 하한은 1개월 이상이 됩니다.

제19조의 위반행위에 대해서는 제10조 부분을 참고하시기 바랍니다.

③ 제1항의 위반행위로 얻은 이익 또는 회피한 손실액이 5억 원 이상인 경우에는 제1항의 징역을 다음 각 호의 구분에 따라 가중한다.
  1. 이익 또는 회피한 손실액이 50억원 이상인 경우: 무기 또는 5년 이상의 징역
  2. 이익 또는 회피한 손실액이 5억원 이상 50억원 미만인 경우: 3년 이상의 유기징역
④ 제2항의 위반행위로 얻은 이익 또는 회피한 손실액이 5억 원 이상인 경우에는 제2항의 징역을 다음 각 호의 구분에 따라 가중한다.
  1. 이익 또는 회피한 손실액이 50억원 이상인 경우: 3년 이상의 유기징역
  2. 이익 또는 회피한 손실액이 5억원 이상 50억원 미만인 경우: 2년 이상의 유기징역
⑤ 제1항부터 제4항까지에 따라 징역에 처하는 경우에는 10년 이하의 자격정지와 벌금을 병과(竝科)할 수 있다.
⑥ 제1항 및 제2항에 따른 위반행위로 얻은 이익(미실현 이익을 포함한다) 또는 회피한 손실액은 그 위반행위를 통하여 이

> 루어진 거래로 발생한 총수입에서 그 거래를 위한 총비용을 공
> 제한 차액을 말한다. 이 경우 각 위반행위의 유형별 구체적인
> 산정방식은 대통령령으로 정한다.

제19조 제3항 및 제4항은 제1항 또는 제2항의 위반행위로 얻은
이익 또는 회피한 손실액이 5억 원 이상인 경우에는 가중처벌하도
록 규정하고 있습니다. 제1항의 위반행위에 대해서 이익 또는 회피
한 손실액이 50억 원 이상인 경우에는 무기징역 또는 5년 이상의
징역, 5억 원 이상 50억 원 미만인 경우에는 3년 이상의 유기징역
에 처합니다. 이에 따라, 제1항은 5억 원 미만의 경우에만 적용되는
것으로 이때에만 1년 이상의 유기징역 또는 벌금형에 처하게 됩니
다. 제2항의 위반행위에 대해서도 이익 또는 손실액이 50억 원 이
상인 경우에는 3년 이상의 유기징역, 5억 원 이상 50억 원 미만인
경우에는 2년 이상의 유기징역에 처합니다. 5억 원 미만의 경우네
는 제2항에 따라 10년 이하의 유기징역 또는 벌금형에 처하게 됩
니다.

제3항, 제4항의 규정은 가중처벌 규정인데, 특정경제범죄가중처벌
등에관한법률 등과 같이 재산범죄에서 5억 원 이상, 50억 원 이상
을 구분하여 가중처벌하곤 합니다. 다만 유의할 것은 이익 또는 회
피한 손실액이 5억 원 이상이 되는 순간부터 벌금형이 없다는 점입
니다.

또한, 제5항에 따라 징역에 처하는 경우에는 10년 이하의 자격정
지와 벌금을 병과할 수 있습니다.

2. 몰수·추징

제20조(몰수·추징) ① 제19조제1항 각 호 및 제2항 중 어느 하나에 해당하는 자가 해당 행위를 하여 취득한 재산은 몰수하며, 몰수할 수 없는 경우에는 그 가액을 추징한다.
② 제19조제1항제2호부터 제4호까지 및 제2항 중 어느 하나에 해당하는 자가 해당 행위를 위하여 제공하였거나 제공하려 한 재산은 몰수하며, 몰수할 수 없는 경우에는 그 가액을 추징한다.

몰수추징 규정입니다. 아무래도 범죄수익이 상당할 수 있으니 이 법 제19조 제1항 및 제2항에 해당하는 행위를 하여 취득한 재산은 몰수하여, 몰수할 수 없는 경우에는 그 가액을 추징하도록 규정하고 있습니다. 제19조 제1항 제2호부터 제4호까지 및 제2항에 해당하는 행위를 위하여 제공하였거나 제공하려 한 재산은 몰수하며, 몰수할 수 없는 경우에는 그 가액을 추징합니다. 본 조 제1항과 제2항의 차이는, 제1항은 그 행위를 하여 취득한 재산이 대상이고, 제2항은 해당 행위를 위하여 제공하였거나 제공하려 한 재산이 대상이 됩니다.

몰수추징은 형벌권 실행의 실효성을 확보하기 위한 것이므로, 징역형이나 벌금형을 선고받았다고 면제되는 것이 아니고, 오히려 유죄 판결을 선고 받았으므로 당연히 선고되는 것이라고 생각하셔야 합니다. 범죄수익을 회수하는 것입니다.

3. 양벌규정

> **제21조(양벌규정)** 법인(단체를 포함한다. 이하 이 조에서 같다)의 대표자나 법인 또는 개인의 대리인, 사용인, 그 밖의 종업원이 그 법인 또는 개인의 업무에 관하여 제19조의 위반행위를 하면 그 행위자를 벌하는 외에 그 법인 또는 개인에게도 해당 조문의 벌금형을 과(科)한다. 다만, 법인 또는 개인이 그 위반행위를 방지하기 위하여 해당 업무에 관하여 상당한 주의와 감독을 게을리하지 아니한 경우에는 그러하지 아니하다.

양벌규정도 있습니다. 법인의 대표자나 법인 또는 개인의 대리인, 사용인, 그 밖의 종업원이 그 법인 또는 개인의 업무에 관하여 제19조의 위반행위를 하면 그 행위자를 벌하는 외에 그 법인 또는 개인에게도 해당 조문의 벌금형을 과합니다. 이는 형벌권의 실효성을 확보하기 위한 수단입니다.

양벌규정의 단순한 예시는, 술집 아르바이트생이 미성년자에게 술을 팔면서 이에 대해 아무런 제지나 감독을 하지 않은 술집 사장에게도 아르바이트생과 같이 처벌받는 것입니다. 이는 술집 아르바이트생이 술을 팔면서 얻는 이익은 술집 사장에게 가기 때문에, 술집 사장은 아르바이트생을 감독할 유인이 없어집니다. 양벌규정이 없다면, 미성년자에게 술을 판 것은 아르바이트생이므로, 아르바이트생이 형사처벌을 받고, 모르쇠 일관한 술집 사장은 돈을 버는 것으로 사안이 종결되기 때문입니다.

가상자산거래소의 경우에도 동일하게 법인에게 책임을 묻는 규정을 두어서 형벌의 실효성을 확보하고자 하였습니다.

　다만, 이때 유의깊게 보아야할 것은 양벌규정의 단서입니다. 법인 또는 개인이 그 위반행위를 방지하기 위하여 해당 업무에 관하여 상당한 주의와 감독을 게을리하지 아니한 경우에는 법인 또는 개인은 처벌받지 않고, 해당 행위를 한 사람만 처벌이 됩니다. 그러다보니 요즘 대기업 법무팀이나 컴플라이언스팀에서는 정기적으로 교육자료도 만들어서 전달하고, 현장에서는 업무 시작 전 교육을 하거나 출석부 작성 등을 통해서 상당한 주의와 감독의무를 이행했다는 근거를 남기기도 합니다.

4. 과태료

제22조(과태료) ① 다음 각 호의 어느 하나에 해당하는 자에 대하여는 1억원 이하의 과태료를 부과한다.

1. 제6조를 위반하여 이용자의 예치금을 적법하게 관리하지 아니한 자
2. 제7조를 위반하여 이용자의 가상자산을 적법하게 보관하지 아니한 자
3. 제8조를 위반하여 보험 또는 공제에 가입하거나 준비금을 적립하는 등 필요한 조치를 하지 아니한 자
4. 제9조를 위반하여 가상자산거래기록을 생성·보존 또는 파기하지 아니한 자
5. 제11조제2항에 따른 보고를 하지 아니하거나 거짓으로 보고한 자
6. 제12조제1항을 위반하여 이상거래에 대해 적절한 조치를 취하지 아니한 자
7. 제12조제2항에 따른 통보·보고를 하지 아니하거나 거짓으로 통보·보고한 자
8. 제13조부터 제15조까지에 따른 검사·조사·명령·요구에 따르지 아니하거나 이를 거부·방해 또는 기피한 자

② 제1항에 따른 과태료는 대통령령으로 정하는 방법 및 절차에 따라 금융위원회가 부과·징수한다.

이용자의 예치금을 적법하게 관리하지 아니한 자, 이용자의 가상자산을 적법하게 보관하지 아니한 자, 보험 또는 공제에 가입하거나 준비금을 적립하는 등 필요한 조치를 하지 아니한 자, 가상자산 거래기록을 생성·보존 또는 파기하지 아니한 자 등 제22조의 8가지

호의 어느 하나에 해당하는 자에 대하여 최대 1억원의 과태료를 부과하고 있습니다.

"○소위원장 김종민　과태료 통합의견에 대해서 의견 주십시오.

○오기형 위원　위원장님, 과태료나 제재에 관한 부분은 오늘 논의된 걸 토대로 해서 수석전문위원님께서 따로 안을 새로 주면 그 전체적인 정합성 검토는 다음에 하시면 어떨까 싶습니다. 오늘 큰 이슈는 아닐 것 같습니다.

○소위원장 김종민　재정리를 한번 할까요?

○김한규 위원　다음에 한 번 더 논의하시면 될 것 같습니다.

○윤한홍 위원　실효성이 있도록……

○소위원장 김종민　예, 실효성 있게 정리된 의견으로 한번 업그레이드시켜 보자고요.

마지막 이 문제가 사실은 제일 중요합니다. 과태료든 행정조치든 처벌이나 과징금 전체적으로 어떤 제재조치가 실효성이 있을 건지에 대한 게 되게 중요한 쟁점이에요.

(2023. 3. 28. 제404회 정무위원회 제2차 법안심사제1소위원회 中)"

과태료의 상한선이 적정한지에 대해서 국회에서 논의가 있었습니다. 가상자산 과열 상황을 보았을 때, 1억 원의 과태료 실효성이 있는지 의문을 가질 수 있기 때문입니다. 과태료는 형사처벌도 아닌지라 단순히 1억 원의 과태료보다 더 많은 이익을 볼 수 있다면 이를 이행할 요인이 없어지기 때문입니다. 그러나 결론적으로 자본시장법 과태료 수준에 따른 것으로 타법 대비 낮은 수준이 아닌 것으로 사료되어 논의는 종결되었습니다.

"○수석전문위원 고상근 과태료 부과 대상이나 제재 수준과 관련해서 일부 보완한 사항이 있습니다.

금융위원회.

○금융위원회부위원장 김소영 위반 행위에 대한 실효성 있는 제재가 가능하도록 법안을 마련하여야 한다는 의견에 적극 공감합니다. 다만 현 과태료 1억 원 이하는 자본시장법 과태료 수준에 따른 것으로 타 법 대비 낮은 수준은 아닌 것으로 사료됩니다.

다음, 그 밖에 과태료가 추가되는 사항에 대해서는 동의합니다.

○소위원장 김종민 의견 주세요.

○윤창현 위원 좋습니다.

(2023. 4. 25. 제405회 정무위원회 제1차 법안심사제1소위원회 中)"

핵심정리

[총칙]

1. 가상자산(제2조제1호)

○ "가상자산"이란 경제적 가치를 지닌 것으로서 전자적으로 거래 또는 이전될 수 있는 전자적 증표(그에 관한 일체의 권리를 포함한다)를 말한다.

- 제외 : 화폐·재화·용역 등으로 교환될 수 없는 전자적 증표 또는 그 증표에 관한 정보로서 발행인이 사용처와 그 용도를 제한한 것, 게임물의 이용을 통하여 획득한 유·무형의 결과물, 선불전자지급수단 및 전자화폐, 전자등록주식등, 전자어음, 전자선하증권, 한국은행(이하 "한국은행"이라 한다)이 발행하는 전자적 형태의 화폐 및 그와 관련된 서비스 등

2. 가상자산사업가(제2조제2호)

○ "가상자산사업자"란 가상자산과 관련하여 가상자산을 매도·매수, 다른 가상자산과 교환, 이전, 보관 또는 관리, 매매 및 교환을 중개·알선하거나 대행하는 행위 등을 영업으로 하는 자를 말한다.

3. 이용자(제2조제3호)

○ "이용자"란 가상자산사업자를 통하여 가상자산을 매매, 교환, 이전 또는 보관·관리하는 자를 말한다.

[이용자 자산의 보호]

1. 예치금의 보호(제6조)

○ 가상자산사업자는 이용자의 예치금을 공신력있는 기관에 예치 또는 신탁하여 관리하여야 한다.

2. 가상자산의 보관(제7조)

○ 가상자산사업자가 이용자로부터 위탁 받은 가상자산을 보관하는 경우 이용자명부를 작성·비치하여야 하고, 위탁받은 가상자산과 동일한 종류와 수량의 가상자산을 실질적으로 보유하여야 한다.

3. 보험의 가입 등(제8조)

○ 가상자산사업자는 해킹·전산장애 등 사고에 따른 책임을 이행하기 위하여 보험 또는 공제에 가입하거나 준비금을 적립하는 등의 필요한 조치를 하여야 한다.

4. 거래기록의 생성(제9조)

○ 가상자산사업자는 매매 등 가상자산거래의 내용을 추적·검색하거나 그 내용에 오류가 발생할 경우 이를 확인·정정할 수 있는 기록을 그 거래관계가 종료한 때부터 15년간 보존하여야 한다.

[불공정거래의 규제]

1. 불공정거래행위 등 금지(제10조)

○ 가상자산사업자 등은 가상자산에 관한 미공개 중요정보를 해당 가산자산의 매매, 그 밖의 거래에 이용하거나 타인에게 이용하게 하여서는 아니 된다.

○ 누구든지 시세조종행위나 부정행위를 하여서는 아니 된다.

○ 불공정거래 등 위반행위를 한 자는 손해배상책임이 있다.

2. 가상자산에 관한 임의적 입·출금 차단 금지(제11조)

○ 가상자산사업자는 이용자의 가상자산에 관한 입금출금을 정당한 사유 없이 차단하여서는 아니 된다.

○ 이때, 손해배상청구권은 안 날로부터 2년, 있은 날로부터 5년의 소멸시효가 적용된다.

[감독 및 처분 등]

1. 불공정거래행위에 대한 과징금(제17조)

○ 불공정거래행위 등으로 이익 또는 회피한 손실액의 2배에 상당하는 금액 이하의 과징금 부과할 수 있다. 다만, 이익 또는 회피한 손실액이 없거나 산정하기 곤란한 경우에는 40억 원 이하.

[벌칙]

1. 불공정거래행위 등

○ 1년 이상의 유기징역 또는 이익 또는 회피한 손실액의 3배 이상 5배 이하에 상당하는 벌금.

- 다만, 이익 또는 회피한 손실액이 없거나 산정하기 곤란한 경우 또는 이익 또는 회피한 손실액의 5배에 해당하는 금액이 5억 원 이하인 경우에는 벌금의 상한액을 5억 원으로 한다.

○ 가중처벌(50억 원 이상인 경우 : 무기 또는 5년 이상의 징역, 5억 원 이상 50억 원 미만인 경우 : 3년 이상의 유기징역)

○ 병과 가능

2. 자기 또는 특수관계인이 발행한 가상자산의 매매, 그 밖의 거래

○ 10년 이하의 유기징역 또는 이익 또는 회피한 손실액의 3배 이상 5배 이하에 상당하는 벌금.

– 다만, 이익 또는 회피한 손실액이 없거나 산정하기 곤란한 경우 또는 이익 또는 회피한 손실액의 5배에 해당하는 금액이 5억 원 이하인 경우에는 벌금의 상한액을 5억 원으로 한다.

○ 가중처벌(50억 원 이상인 경우 : 3년 이상의 징역, 5억 원 이상 50억 원 미만인 경우 : 2년 이상의 유기징역)

○ 병과 가능

3. 과태료

○ 1억 원 이하의 과태료

○ 부과가상자산사업가가 예치금, 이용자의 가상자산 보관, 보험 또는 공제, 준비금 적립, 이상거래 조치 등 위반시

가상자산 이용자 보호 등에 관한

법률 (약칭: 가상자산이용자보호법)

[시행 2024. 7. 19.] [법률 제19563호, 2023. 7. 18., 제정]

금융위원회(금융혁신과) 02-2100-2534

제1장 총칙

제1조(목적) 이 법은 가상자산 이용자 자산의 보호와 불공정거래행위 규제 등에 관한 사항을 정함으로써 가상자산 이용자의 권익을 보호하고 가상자산시장의 투명하고 건전한 거래질서를 확립하는 것을 목적으로 한다.

제2조(정의) 이 법에서 사용하는 용어의 뜻은 다음과 같다.

1. "가상자산"이란 경제적 가치를 지닌 것으로서 전자적으로 거래 또는 이전될 수 있는 전자적 증표(그에 관한 일체의 권리를 포함한다)를 말한다. 다만, 다음 각 목의 어느 하나에 해당하는 것은 제외한다.

　가. 화폐·재화·용역 등으로 교환될 수 없는 전자적 증표 또는 그 증표에 관한 정보로서 발행인이 사용처와 그 용도를 제한한 것

　나. 「게임산업진흥에 관한 법률」 제32조제1항제7호에 따른 게임물의 이용을 통하여 획득한 유·무형의 결과물

　다. 「전자금융거래법」 제2조제14호에 따른 선불전자지급수단 및 같은 조 제15호에 따른 전자화폐

　라. 「주식·사채 등의 전자등록에 관한 법률」 제2조제4호에 따른 전자등록주식등

　마. 「전자어음의 발행 및 유통에 관한 법률」 제2조제2호에 따른

전자어음

바. 「상법」 제862조에 따른 전자선하증권

사. 「한국은행법」에 따른 한국은행(이하 "한국은행"이라 한다)이 발행하는 전자적 형태의 화폐 및 그와 관련된 서비스

아. 거래의 형태와 특성을 고려하여 대통령령으로 정하는 것

2. "가상자산사업자"란 가상자산과 관련하여 다음 각 목의 어느 하나에 해당하는 행위를 영업으로 하는 자를 말한다.

가. 가상자산을 매도·매수(이하 "매매"라 한다)하는 행위

나. 가상자산을 다른 가상자산과 교환하는 행위

다. 가상자산을 이전하는 행위 중 대통령령으로 정하는 행위

라. 가상자산을 보관 또는 관리하는 행위

마. 가목 및 나목의 행위를 중개·알선하거나 대행하는 행위

3. "이용자"란 가상자산사업자를 통하여 가상자산을 매매, 교환, 이전 또는 보관·관리하는 자를 말한다.

4. "가상자산시장"이란 가상자산의 매매 또는 가상자산 간 교환을 할 수 있는 시장을 말한다.

제3조(국외행위에 대한 적용) 이 법은 국외에서 이루어진 행위로서 그 효과가 국내에 미치는 경우에도 적용한다.

제4조(다른 법률과의 관계) 가상자산 및 가상자산사업자에 관하여 다른 법률에서 특별히 정한 경우를 제외하고는 이 법에서 정하는 바에 따른다.

제5조(가상자산 관련 위원회의 설치) ① 금융위원회는 이 법 또는 다른 법령에 따른 가상자산시장 및 가상자산사업자에 대한 정책 및 제도에 관한 사항의 자문을 위하여 가상자산 관련 위원회를 설치·운영할 수 있다.

② 제1항에 따른 위원회의 구성 및 운영 등에 관하여 필요한 사항은 대통령령으로 정한다.

제2장 이용자 자산의 보호

제6조(예치금의 보호) ① 가상자산사업자는 이용자의 예치금(이용자로부터 가상자산의 매매, 매매의 중개, 그 밖의 영업행위와 관련하여 예치받은 금전을 말한다. 이하 같다)을 고유재산과 분리하여 「은행법」에 따른 은행 등 대통령령으로 정하는 공신력 있는 기관(이하 "관리기관"이라 한다)에 대통령령으로 정하는 방법에 따라 예치 또는 신탁하여 관리하여야 한다.

② 가상자산사업자는 제1항에 따라 관리기관에 이용자의 예치금을 예치 또는 신탁하는 경우에는 그 예치금이 이용자의 재산이라는 뜻을 밝혀야 한다.

③ 누구든지 제1항에 따라 관리기관에 예치 또는 신탁한 예치금을 상계·압류(가압류를 포함한다)하지 못하며, 예치금을 예치 또는 신탁한 가상자산사업자는 대통령령으로 정하는 경우 외에는 관리기관에 예치 또는 신탁한 예치금을 양도하거나 담보로 제공하여서는 아니된다.

④ 관리기관은 가상자산사업자가 다음 각 호의 어느 하나에 해당하게 된 경우에는 이용자의 청구에 따라 예치 또는 신탁된 예치금을 대통령령으로 정하는 방법과 절차에 따라 그 이용자에게 우선하여 지급하여야 한다.

1. 사업자 신고가 말소된 경우
2. 해산·합병의 결의를 한 경우
3. 파산선고를 받은 경우

제7조(가상자산의 보관) ① 가상자산사업자가 이용자로부터 위탁을 받아 가상자산을 보관하는 경우 다음 각 호의 사항을 기재한 이용자명부를 작성·비치하여야 한다.

1. 이용자의 주소 및 성명

2. 이용자가 위탁하는 가상자산의 종류 및 수량

3. 이용자의 가상자산주소(가상자산의 전송 기록 및 보관 내역의 관리를 위하여 전자적으로 생성시킨 고유식별번호를 말한다)

② 가상자산사업자는 자기의 가상자산과 이용자의 가상자산을 분리하여 보관하여야 하며, 이용자로부터 위탁받은 가상자산과 동일한 종류와 수량의 가상자산을 실질적으로 보유하여야 한다.

③ 가상자산사업자는 제1항에 따라 보관하는 이용자의 가상자산 중 대통령령으로 정하는 비율 이상의 가상자산을 인터넷과 분리하여 안전하게 보관하여야 한다.

④ 가상자산사업자는 이용자의 가상자산을 대통령령으로 정하는 보안기준을 충족하는 기관에 위탁하여 보관할 수 있다.

제8조(보험의 가입 등) 가상자산사업자는 해킹·전산장애 등 대통령령으로 정하는 사고에 따른 책임을 이행하기 위하여 금융위원회가 정하여 고시하는 기준에 따라 보험 또는 공제에 가입하거나 준비금을 적립하는 등 필요한 조치를 하여야 한다.

제9조(거래기록의 생성·보존 및 파기) ① 가상자산사업자는 매매 등 가상자산거래의 내용을 추적·검색하거나 그 내용에 오류가 발생할 경우 이를 확인하거나 정정할 수 있는 기록(이하 "가상자산거래기록"이라 한다)을 그 거래관계가 종료한 때부터 15년간 보존하여야 한다.

② 가상자산사업자가 보존하여야 하는 가상자산거래기록의 종류, 보관방법, 파기절차·방법 등에 관하여는 대통령령으로 정한다.

제3장 불공정거래의 규제

제10조(불공정거래행위 등 금지) ① 다음 각 호의 어느 하나에 해당하는 자는 가상자산에 관한 미공개중요정보(이용자의 투자판단에 중대한 영향을 미칠 수 있는 정보로서 대통령령으로 정하는 방법

에 따라 불특정 다수인이 알 수 있도록 공개되기 전의 것을 말한다. 이하 같다)를 해당 가상자산의 매매, 그 밖의 거래에 이용하거나 타인에게 이용하게 하여서는 아니 된다.

1. 가상자산사업자, 가상자산을 발행하는 자(법인인 경우를 포함한다. 이하 이 조에서 같다) 및 그 임직원·대리인으로서 그 직무와 관련하여 미공개중요정보를 알게 된 자

2. 제1호의 자가 법인인 경우 주요주주(「금융회사의 지배구조에 관한 법률」 제2조제6호나목에 따른 주요주주를 말한다. 이 경우 "금융회사"는 "법인"으로 본다)로서 그 권리를 행사하는 과정에서 미공개중요정보를 알게 된 자

3. 가상자산사업자 또는 가상자산을 발행하는 자에 대하여 법령에 따른 허가·인가·지도·감독, 그 밖의 권한을 가지는 자로서 그 권한을 행사하는 과정에서 미공개중요정보를 알게 된 자

4. 가상자산사업자 또는 가상자산을 발행하는 자와 계약을 체결하고 있거나 체결을 교섭하고 있는 자로서 그 계약을 체결·교섭 또는 이행하는 과정에서 미공개중요정보를 알게 된 자

5. 제2호부터 제4호까지의 어느 하나에 해당하는 자의 대리인(이에 해당하는 자가 법인인 경우에는 그 임직원 및 대리인을 포함한다)·사용인, 그 밖의 종업원(제2호부터 제4호까지의 어느 하나에 해당하는 자가 법인인 경우에는 그 임직원 및 대리인)으로서 그 직무와 관련하여 미공개중요정보를 알게 된 자

6. 제1호부터 제5호까지의 어느 하나에 해당하는 자(제1호부터 제5호까지의 어느 하나의 자에 해당하지 아니하게 된 날부터 1년이 경과하지 아니한 자를 포함한다)로부터 미공개중요정보를 받은 자

7. 그 밖에 이에 준하는 자로서 대통령령으로 정하는 자

② 누구든지 가상자산의 매매에 관하여 그 매매가 성황을 이루고 있는 듯이 잘못 알게 하거나, 그 밖에 타인에게 그릇된 판단을 하

게 할 목적으로 다음 각 호의 어느 하나에 해당하는 행위를 하여
서는 아니 된다.

1. 자기가 매도하는 것과 같은 시기에 그와 같은 가격으로 타인이
   가상자산을 매수할 것을 사전에 그 자와 서로 짠 후 매매를 하
   는 행위

2. 자기가 매수하는 것과 같은 시기에 그와 같은 가격으로 타인이
   가상자산을 매도할 것을 사전에 그 자와 서로 짠 후 매매를 하
   는 행위

3. 가상자산의 매매를 할 때 그 권리의 이전을 목적으로 하지 아
   니하는 거짓으로 꾸민 매매를 하는 행위

4. 제1호부터 제3호까지의 행위를 위탁하거나 수탁하는 행위

③ 누구든지 가상자산의 매매를 유인할 목적으로 가상자산의 매매
가 성황을 이루고 있는 듯이 잘못 알게 하거나 그 시세를 변동 또
는 고정시키는 매매 또는 그 위탁이나 수탁을 하는 행위를 하여서
는 아니 된다.

④ 누구든지 가상자산의 매매, 그 밖의 거래와 관련하여 다음 각
호의 행위를 하여서는 아니 된다.

1. 부정한 수단, 계획 또는 기교를 사용하는 행위

2. 중요사항에 관하여 거짓의 기재 또는 표시를 하거나 타인에게
   오해를 유발시키지 아니하기 위하여 필요한 중요사항의 기재 또
   는 표시가 누락된 문서, 그 밖의 기재 또는 표시를 사용하여 금
   전, 그 밖의 재산상의 이익을 얻고자 하는 행위

3. 가상자산의 매매, 그 밖의 거래를 유인할 목적으로 거짓의 시세
   를 이용하는 행위

4. 제1호부터 제3호까지의 행위를 위탁하거나 수탁하는 행위

⑤ 가상자산사업자는 다음 각 호의 어느 하나에 해당하는 경우 외
에는 자기 또는 대통령령으로 정하는 특수한 관계에 있는 자(이하
"특수관계인"이라 한다)가 발행한 가상자산의 매매, 그 밖의 거래

를 하여서는 아니 된다.

1. 특정 재화나 서비스의 지급수단으로 발행된 가상자산으로서 가상자산사업자가 이용자에게 약속한 특정 재화나 서비스를 제공하고, 그 반대급부로 가상자산을 취득하는 경우
2. 가상자산의 특성으로 인하여 가상자산사업자가 불가피하게 가상자산을 취득하는 경우로서 불공정거래행위의 방지 또는 이용자와의 이해상충 방지를 위하여 대통령령으로 정하는 절차와 방법을 따르는 경우

⑥ 제1항부터 제5항까지를 위반한 자는 그 위반행위로 인하여 이용자가 그 가상자산의 매매, 그 밖의 거래와 관련하여 입은 손해를 배상할 책임이 있다.

제11조(가상자산에 관한 임의적 입·출금 차단 금지) ① 가상자산사업자는 이용자의 가상자산에 관한 입금 또는 출금을 대통령령으로 정하는 정당한 사유 없이 차단하여서는 아니 된다.

② 가상자산사업자가 이용자의 가상자산에 관한 입금 또는 출금을 차단하는 경우에는 그에 관한 사유를 미리 이용자에게 통지하고, 그 사실을 금융위원회에 즉시 보고하여야 한다.

③ 제1항을 위반한 자는 그 위반행위로 인하여 형성된 가격에 의하여 해당 가상자산에 관한 거래를 하거나 그 위탁을 한 자가 그 거래 또는 위탁으로 인하여 입은 손해에 대하여 배상할 책임을 진다.

④ 제3항에 따른 손해배상청구권은 청구권자가 제1항을 위반한 행위가 있었던 사실을 안 때부터 2년간 또는 그 행위가 있었던 때부터 5년간 이를 행사하지 아니한 경우에는 시효로 인하여 소멸한다.

제12조(이상거래에 대한 감시) ① 가상자산시장을 개설·운영하는 가상자산사업자는 가상자산의 가격이나 거래량이 비정상적으로 변동하는 거래 등 대통령령으로 정하는 이상거래(이하 "이상거래"라 한다)를 상시 감시하고 이용자 보호 및 건전한 거래질서 유지를

위하여 금융위원회가 정하는 바에 따라 적절한 조치를 취하여야
한다.

② 제1항의 가상자산사업자는 제1항에 따른 업무를 수행하면서 제
10조를 위반한 사항이 있다고 의심되는 경우에는 지체 없이 금융
위원회 및 금융감독원장(「금융위원회의 설치 등에 관한 법률」 제
24조제1항에 따라 설립된 금융감독원의 원장을 말한다. 이하 같
다)에게 통보하여야 한다. 다만, 제10조를 위반한 혐의가 충분히
증명된 경우 등 금융위원회가 정하여 고시하는 경우에는 지체 없
이 수사기관에 신고하고 그 사실을 금융위원회 및 금융감독원장에
게 보고하여야 한다.

제4장 감독 및 처분 등

제13조(가상자산사업자의 감독·검사 등) ① 금융위원회는 가상자산
사업자가 이 법 또는 이 법에 따른 명령이나 처분을 적절히 준수
하는지 여부를 감독하고, 가상자산사업자의 업무와 재산상황에 관
하여 검사할 수 있다.

② 금융위원회는 이용자 보호 및 건전한 거래질서 유지를 위하여
필요한 경우 가상자산사업자 또는 대통령령으로 정하는 이해관계
자에게 다음 각 호의 사항에 관하여 필요한 조치를 명할 수 있다.

1. 이 법 또는 이 법에 따른 명령이나 처분을 적절히 준수하는지
   파악하기 위한 자료제출에 관한 사항
2. 고유재산의 운용에 관한 사항
3. 이용자 재산의 보관·관리에 관한 사항
4. 거래질서 유지에 관한 사항
5. 영업방법에 관한 사항
6. 해산결의, 파산선고 등 영업중단 시 이용자 보호에 관한 사항
7. 기타 이용자 보호 및 건전한 거래질서 유지를 위하여 필요한
   사항으로서 대통령령으로 정하는 사항

③ 금융위원회는 제1항의 검사를 할 때 필요하다고 인정되는 경우에는 가상자산사업자에게 업무 또는 재산에 관한 보고, 자료의 제출, 증인의 출석, 증언 및 의견의 진술을 요구할 수 있다.

④ 제1항에 따라 검사를 하는 자는 그 권한을 표시하는 증표를 지니고 이를 관계자에게 내보여야 한다.

⑤ 금융위원회는 검사의 방법·절차, 검사결과에 대한 조치기준, 그 밖의 검사업무와 관련하여 필요한 사항을 정하여 고시할 수 있다.

제14조(불공정거래행위에 대한 조사·조치) ① 금융위원회는 이 법 또는 이 법에 따른 명령이나 처분을 위반한 사항이 있거나 이용자 보호 또는 건전한 거래질서를 위하여 필요하다고 인정되는 경우에는 위반혐의가 있는 자, 그 밖의 관계자에게 참고가 될 보고 또는 자료의 제출을 명하거나 금융감독원장에게 장부·서류, 그 밖의 물건을 조사하게 할 수 있다.

② 금융위원회는 제1항에 따른 조사를 위하여 위반행위의 혐의가 있는 자, 그 밖의 관계자에게 다음 각 호의 사항을 요구할 수 있다.

1. 조사사항에 관한 사실과 상황에 대한 진술서의 제출

2. 조사사항에 관한 진술을 위한 출석

3. 조사에 필요한 장부·서류, 그 밖의 물건의 제출

③ 금융위원회는 제1항에 따른 조사를 할 때 제10조를 위반한 사항의 조사에 필요하다고 인정되는 경우에는 다음 각 호의 조치를 할 수 있다.

1. 제2항제3호에 따라 제출된 장부·서류, 그 밖의 물건의 영치

2. 관계자의 사무소 또는 사업장에 대한 출입을 통한 업무·장부·서류, 그 밖의 물건의 조사

④ 금융위원회는 제1항에 따른 조사를 할 때 필요하다고 인정되는 경우에는 가상자산사업자에게 대통령령으로 정하는 방법에 따라

조사에 필요한 자료의 제출을 요구할 수 있다.

⑤ 제3항제2호에 따라 조사를 하는 자는 그 권한을 표시하는 증표를 지니고 이를 관계자에게 내보여야 한다.

⑥ 금융위원회는 관계자에 대한 조사실적·처리결과, 그 밖에 관계자의 위법행위를 예방하는 데 필요한 정보 및 자료를 대통령령으로 정하는 방법에 따라 공표할 수 있다.

⑦ 금융감독원장은 제1항에 따른 조사를 한 경우에는 그 결과를 금융위원회에 보고하여야 한다.

제15조(가상자산사업자에 대한 조치) ① 금융위원회는 가상자산사업자 또는 대통령령으로 정하는 이해관계자가 이 법 또는 이 법에 따른 명령이나 처분을 위반한 사실을 발견하였을 때에는 다음 각 호의 어느 하나에 해당하는 조치를 할 수 있다.

1. 해당 위반행위의 시정명령
2. 경고
3. 주의
4. 영업의 전부 또는 일부의 정지
5. 수사기관에의 통보 또는 고발

② 금융위원회는 가상자산사업자의 임직원이 이 법 또는 이 법에 따른 명령이나 처분을 위반한 사실을 발견하였을 때에는 위반행위에 관련된 임직원에 대하여 다음 각 호의 구분에 따른 조치를 할 수 있다.

1. 임원에 대한 해임권고 또는 6개월 이내의 직무정지
2. 직원에 대한 면직요구 또는 정직요구
3. 임직원에 대한 주의, 경고 또는 문책요구

③ 금융위원회는 제2항에 따른 해임권고 또는 면직요구에 해당하는 처분을 하고자 하는 경우에는 청문을 실시하여야 한다.

제16조(한국은행의 자료제출 요구) 한국은행은 금융통화위원회가 가상자산거래와 관련하여 통화신용정책의 수행, 금융안정 및 지급결

제제도의 원활한 운영을 위하여 필요하다고 인정하는 경우에는 가상자산사업자에 대하여 자료제출을 요구할 수 있다. 이 경우 요구하는 자료는 해당 가상자산사업자의 업무부담을 충분히 고려하여 필요한 최소한의 범위로 한정하여야 한다.

제17조(불공정거래행위에 대한 과징금) ① 금융위원회는 제10조제1항부터 제4항까지를 위반한 자에 대하여 그 위반행위로 얻은 이익(미실현 이익을 포함한다. 이하 이 조에서 같다) 또는 이로 인하여 회피한 손실액의 2배에 상당하는 금액 이하의 과징금을 부과할 수 있다. 다만, 그 위반행위와 관련된 거래로 얻은 이익 또는 이로 인하여 회피한 손실액이 없거나 산정하기 곤란한 경우에는 40억원 이하의 과징금을 부과할 수 있다.

② 금융위원회는 제1항에 따라 과징금을 부과할 때 동일한 위반행위로 제19조에 따라 벌금을 부과받은 경우에는 제1항의 과징금 부과를 취소하거나 벌금에 상당하는 금액(몰수나 추징을 당한 경우 해당 금액을 포함한다)의 전부 또는 일부를 과징금에서 제외할 수 있다.

③ 검찰총장은 금융위원회가 제1항에 따라 과징금을 부과하기 위하여 수사 관련 자료를 요구하는 경우에는 필요하다고 인정되는 범위에서 이를 제공할 수 있다.

④ 과징금 부과에 대한 의견제출, 이의신청, 과징금납부기한의 연장 및 분할납부, 과징금의 징수 및 체납처분, 과오납금의 환급, 환급가산금 및 결손처분에 대해서는 「자본시장과 금융투자업에 관한 법률」 제431조부터 제434조까지 및 제434조의2부터 제434조의4까지를 준용한다.

⑤ 제1항부터 제4항까지 외에 과징금의 부과 절차 및 기준에 관하여 필요한 사항은 대통령령으로 정한다.

제18조(권한의 위탁) 금융위원회는 이 법에 따른 업무의 일부를 대통령령으로 정하는 바에 따라 금융감독원장에게 위탁할 수 있다.

제5장 벌칙

제19조(벌칙) ① 다음 각 호의 어느 하나에 해당하는 자는 1년 이상
의 유기징역 또는 그 위반행위로 얻은 이익 또는 회피한 손실액의
3배 이상 5배 이하에 상당하는 벌금에 처한다. 다만, 그 위반행위
로 얻은 이익 또는 회피한 손실액이 없거나 산정하기 곤란한 경우
또는 그 위반행위로 얻은 이익 또는 회피한 손실액의 5배에 해당
하는 금액이 5억원 이하인 경우에는 벌금의 상한액을 5억원으로
한다.

1. 제10조제1항을 위반하여 가상자산과 관련된 미공개중요정보를
   해당 가산자산의 매매, 그 밖의 거래에 이용하거나 타인에게 이
   용하게 한 자

2. 제10조제2항을 위반하여 가상자산의 매매에 관하여 그 매매가
   성황을 이루고 있는 듯이 잘못 알게 하거나, 그 밖에 타인에게
   그릇된 판단을 하게 할 목적으로 같은 항 각 호의 어느 하나에
   해당하는 행위를 한 자

3. 제10조제3항을 위반하여 가상자산의 매매를 유인할 목적으로
   매매가 성황을 이루고 있는 듯이 잘못 알게 하거나 그 시세를
   변동 또는 고정시키는 매매 또는 그 위탁이나 수탁을 하는 행위
   를 한 자

4. 가상자산의 매매, 그 밖의 거래와 관련하여 제10조제4항 각 호
   의 어느 하나에 해당하는 행위를 한 자

② 제10조제5항을 위반하여 자기 또는 특수관계인이 발행한 가상
자산의 매매, 그 밖의 거래를 한 자는 10년 이하의 유기징역 또는
그 위반행위로 얻은 이익 또는 회피한 손실액의 3배 이상 5배 이
하에 상당하는 벌금에 처한다. 다만, 그 위반행위로 얻은 이익 또
는 회피한 손실액이 없거나 산정하기 곤란한 경우 또는 그 위반행
위로 얻은 이익 또는 회피한 손실액의 5배에 해당하는 금액이 5억

원 이하인 경우에는 벌금의 상한액을 5억원으로 한다.

③ 제1항의 위반행위로 얻은 이익 또는 회피한 손실액이 5억원 이상인 경우에는 제1항의 징역을 다음 각 호의 구분에 따라 가중한다.

1. 이익 또는 회피한 손실액이 50억원 이상인 경우: 무기 또는 5년 이상의 징역

2. 이익 또는 회피한 손실액이 5억원 이상 50억원 미만인 경우: 3년 이상의 유기징역

④ 제2항의 위반행위로 얻은 이익 또는 회피한 손실액이 5억원 이상인 경우에는 제2항의 징역을 다음 각 호의 구분에 따라 가중한다.

1. 이익 또는 회피한 손실액이 50억원 이상인 경우: 3년 이상의 유기징역

2. 이익 또는 회피한 손실액이 5억원 이상 50억원 미만인 경우: 2년 이상의 유기징역

⑤ 제1항부터 제4항까지에 따라 징역에 처하는 경우에는 10년 이하의 자격정지와 벌금을 병과(竝科)할 수 있다.

⑥ 제1항 및 제2항에 따른 위반행위로 얻은 이익(미실현 이익을 포함한다) 또는 회피한 손실액은 그 위반행위를 통하여 이루어진 거래로 발생한 총수입에서 그 거래를 위한 총비용을 공제한 차액을 말한다. 이 경우 각 위반행위의 유형별 구체적인 산정방식은 대통령령으로 정한다.

제20조(몰수·추징) ① 제19조제1항 각 호 및 제2항 중 어느 하나에 해당하는 자가 해당 행위를 하여 취득한 재산은 몰수하며, 몰수할 수 없는 경우에는 그 가액을 추징한다.

② 제19조제1항제2호부터 제4호까지 및 제2항 중 어느 하나에 해당하는 자가 해당 행위를 위하여 제공하였거나 제공하려 한 재산은 몰수하며, 몰수할 수 없는 경우에는 그 가액을 추징한다.

제21조(양벌규정) 법인(단체를 포함한다. 이하 이 조에서 같다)의 대표자나 법인 또는 개인의 대리인, 사용인, 그 밖의 종업원이 그 법인 또는 개인의 업무에 관하여 제19조의 위반행위를 하면 그 행위자를 벌하는 외에 그 법인 또는 개인에게도 해당 조문의 벌금형을 과(科)한다. 다만, 법인 또는 개인이 그 위반행위를 방지하기 위하여 해당 업무에 관하여 상당한 주의와 감독을 게을리하지 아니한 경우에는 그러하지 아니하다.

제22조(과태료) ① 다음 각 호의 어느 하나에 해당하는 자에 대하여는 1억원 이하의 과태료를 부과한다.

1. 제6조를 위반하여 이용자의 예치금을 적법하게 관리하지 아니한 자
2. 제7조를 위반하여 이용자의 가상자산을 적법하게 보관하지 아니한 자
3. 제8조를 위반하여 보험 또는 공제에 가입하거나 준비금을 적립하는 등 필요한 조치를 하지 아니한 자
4. 제9조를 위반하여 가상자산거래기록을 생성·보존 또는 파기하지 아니한 자
5. 제11조제2항에 따른 보고를 하지 아니하거나 거짓으로 보고한 자
6. 제12조제1항을 위반하여 이상거래에 대해 적절한 조치를 취하지 아니한 자
7. 제12조제2항에 따른 통보·보고를 하지 아니하거나 거짓으로 통보·보고한 자
8. 제13조부터 제15조까지에 따른 검사·조사·명령·요구에 따르지 아니하거나 이를 거부·방해 또는 기피한 자

② 제1항에 따른 과태료는 대통령령으로 정하는 방법 및 절차에 따라 금융위원회가 부과·징수한다.

부칙 <제20372호, 2024. 3. 12.> (국회법)

제1조(시행일) 이 법은 공포한 날부터 시행한다. 다만, 부칙 제3조는 2024년 7월 19일부터 시행한다.

제2조 생략

제3조(다른 법률의 개정) 법률 제19563호 가상자산 이용자 보호 등에 관한 법률 일부를 다음과 같이 개정한다.

부칙 제2조제2항 중 "제32조의2제1항제6호의2"를 "제32조의2제1항제6호의2 각 목 외의 부분"으로 한다.

가상자산 이용자 보호 등에 관한 법률
(법과 친해지기 프로젝트 with 국회회의록)

발　행 | 2024년 7월 15일
저　자 | 김현수
펴낸이 | 한건희
펴낸곳 | 주식회사 부크크
출판사등록 | 2014.07.15.(제2014-16호)
주　소 | 서울특별시 금천구 가산디지털1로 119 SK트윈타워 A동 305호
전　화 | 1670-8316
저자이메일 | lawyer_kimhs@naver.com

ISBN | 979-11-410-9309-9

www.bookk.co.kr